نیا ایڈیشن

ڈرائیونگ ٹیسٹ گائیڈ

اُردو

سول پبلشر و ڈسٹری بیوٹر

مسز بانو بشیر

بریڈ فورڈ اِنگلینڈ

NEW EDITION

DRIVING TEST GUIDE
IN URDU

FIRST PUBLISHED IN GREAT BRITAIN IN 2004

SOLE PUBLISHER & DISTRIBUTOR

MRS BANO BASHIR

B.B.PUBLISHING

40 Glenrose Drive Lidget Green

Bradford. BD7 2QQ. England(UK)

EMAIL :< sofiaadam786@yahoo.com >

ATTENTION

Every effort has been made to ensure the information given herein is correct at the time of going to press. However, with the passage of time, the information may become obsolete or outdated.
This manual is sold on the condition that the publisher, printer or translator cannot be held legally responsible for any error or omission therein.

توجہّ کیجئے

اگرچہ پوری کوشش کی گئی ہے کہ اِس کتاب میں دی گئی تمام معلومات صحیح ہوں تاہم وقت گزرنے کے ساتھ ساتھ معلومات میں تبدیلی بھی ہوسکتی ہے یا مصنف یا مترجم سے کوئی غلطی بھی ہو سکتی ہے۔ یہ کتاب اِس شرط کے ساتھ فروخت کی جا رہی ہے کہ پبلشر پرنٹر یا ٹرانسلیٹر کسی غلطی پر ذمہ دار نہ ہونگے۔

Copyright Acknowledgments

کاپی رائٹ ایکناج مینٹ

Acknowledgments

I would like to thank my dear husband Bashir,children Faisal, Latafat, Shugufta and son-in-law Tariq, without whose support and encouragement I would't have been able to produce this driving test guide.

I would also like to thank the Driving Standards Agency and Her Majesty's Stationery Office for their co-operation and assistance in the compilation of this manual.

Finally, I hope my efforts to improve the comprehension and technical ability of urdu speaking Asians is achieved and leads to improved standards of driving.

اظہار تشکر

میں اپنے شفیق خاوند بشیر ،پیارے بچوں فیصل ، لطافت و شگفتہ اور داماد طارق کی شکر گزار ہوں جن کی مدد اور تعاون کے بغیر میں اتنا اچھا "ڈرائیونگ ٹیسٹ گائیڈ" تیار نہ کر سکتی۔

میں ڈرائیونگ سٹینڈرڈ ایجنسی اور ہر میجسٹی کے سٹیشنری آفس کا اِس ٹیسٹ بنانے میں تعاون کی شکر گزار ہوں۔

آخر میں مجھے اُمید ہے کہ میری یہ کاوش اُردو بولنے اور سمجھنے والے ایشیائی بہن بھائیوں کو ڈرائیونگ ٹیسٹ دینے میں خاصی مدد دے گی اور اِس کے نتیجہ میں ڈرائیونگ سٹینڈرڈ میں بہتری آئے گی۔

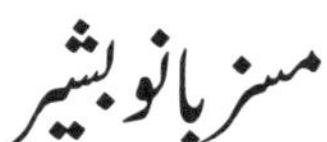

پبلشر کی کہانی اُس کی اپنی زبانی

یہ چند سطور میں اپنے بارے میں لکھ رہی ہوں تا کہ قارئین کو پتہ چل سکے کہ میرے دل میں ایسی کتاب ترجمہ کرنے کی خواہش کیسے پیدا ہوئی اور میری اِس کامیابی میں کونسے عوامل نے کیا کردار ادا کیا۔

اَلحمدُ للہ ، میں پاکستان کے ایک دینی گھرانے میں پیدا ہوئی۔ میرے والد صاحب پنوں خان اور والدہ صاحبہ نور بیگم اگرچہ خود کُچھ زیادہ تعلیم یافتہ نہ تھے لیکن تعلیم کی قدر سے واقف تھے۔ اِسی لئے انہوں نے اپنے تمام وسائل ہم بہن بھائیوں کی تعلیم کیلئے وقف کر دیئے۔ میں نے پاکستان میں ایف اے تک تعلیم پائی۔ ابھی مزید تعلیم کی خواہش دِل میں موجزن تھی کہ والدین کو ایک اچھا رشتہ مل گیا۔ اور اُنہوں نے 1966ء میں میری شادی کر دی۔

میں اُسی سال اپنے خاوند محمد بشیر کے ساتھ انگلینڈ آ گئی۔ یہاں کا ماحول پاکستان سے خاصا مختلف تھا اور زندگی وہاں کی نسبت بہت تیز رفتار تھی۔ تعلیم حاصل کرنے کی خواہش نے مجھے یہاں بھی چین نہ لینے دیا۔ اور میں پڑھنے گھر سے جانے کیلئے اکثر بسوں سے سفر کرتی تھی۔ بسوں پر آنے جانے سے خاصا وقت لگ جاتا تھا۔ یہیں سے میرے دل میں ڈرائیونگ سیکھنے کی خواہش نے جنم لیا۔ میرے مشفق خاوند نے مجھے بڑی محنت سے گاڑی چلانا سکھایا۔ اس سے میری منزلیں آسان ہوتی چلی گئیں۔ میں نے مختلف کورسز کرنے شروع کر دیئے۔ بچوں کو سکول لے جاتی اور لے آتی۔ اس طرح میرے خاوند کو خاصا وقت کام اور کاروبار کیلئے ملنے لگا۔ میں نے اُن کا ہاتھ بٹانے کیلئے کام بھی کرنا شروع کر دیا۔ اور یوں میں کم وقت میں زیادہ کام کر سکتی تھی۔ اپنی فیملی اور عزیزوں کو ہسپتال و شاپنگ وغیرہ کیلئے بھی سہولت مہیّا کرتی تھی۔

میں خدمتِ خلق اور رضاکارانہ کام کرنے کے جذبہ سے بھی سرشار تھی اور ڈرائیونگ سیکھنے کے بعد میرے اِس جذبہ کی تکمیل میں بھی مجھے بہت مدد ملی۔ میں معذور بچوں کو ہفتہ و اتوار کے دن کُچھ وقت کیلئے گھر لے آتی تا کہ اُن کے والدین کو کُچھ وقت اپنے ضروری کام کرنے کیلئے مل جائے۔ اِس سے مجھے دلی سکون ملتا تھا۔

میں گرینج فرسٹ سکول بریڈ فورڈ میں ایشیائی بچوں کو اُردو پڑھاتی رہی۔ یہ کام میں نے دو سال تک بغیر کسی معاوضے کے کیا۔

جب مسلم گرلز سکول بریڈ فورڈ کھُلا تو مجھے وہاں نوکری مِل گئی اور میں نے ایشیائی لڑکیوں کو پانچ سال تک اولیول اُردو اور حساب پڑھایا۔

اِسی عرصہ میں میرے بیٹے فیصل (جو کہ اب ماشاءاللہ سیول انجینیر ہے) اور لطافت (جو کہ اب ماشاءاللہ

کمپیوٹر کنسلٹنٹ ہے) ڈرائیونگ سیکھنے کی عمر کو پہنچ گئے۔ میں نے اُنہیں ڈرائیونگ سکھائی ۔اِس سے میرے دِل میں ڈرائیونگ سکھانے کا شوق پیدا ہوا۔اِسی دوران جب میری بیٹی شگفتہ (جو کہ اب ماشاﷲ فارماسسٹ ہے) ڈرائیونگ سیکھنے لگی۔ تو میں اُسے سکھانے کیلئے ڈرائیونگ انسٹرکٹر کورس اور پریکٹس کرتی رہی اور میں کوالیفائڈ ڈرائیونگ انسٹرکٹر بن گئی۔ میرے ڈرائیونگ انسٹرکٹر بننے میں میرے خاوند ، بیٹی و بیٹوں نے میری بہت مدد کی۔ اور میرے والدین کی دُعائیں بھی شامل رہیں ۔ میرے والدین جو 1977ء میں انگلینڈ آئے تھے۔ اگرچہ اب وُہ اِس دُنیامیں نہیں لیکن اُنہیں میری کامیابیوں سے وہاں دلی سکون ہو گا۔

ڈرائیونگ انسٹرکٹر کوالیفائی کرنے کے بعد میں نے جب ڈرائیونگ سکھانا شروع کی تو ابتداء میں مجھے اُردو میں کوئی ڈرائیونگ سکھلانے کی کتاب نہ ہونے کی وجہ سے خاصی دِقّت پیش آئی۔ میں نے اُردو میں نوٹس بنائے۔ اور گزشتہ دس سال میں ان نوٹس میں ترمیم و اضافہ کرتی رہی اور ان کی وجہ سے سٹوڈینٹس کو ڈرائیونگ سیکھنے میں آسانی رہتی۔ مجھے یہ خوُشی ہے کہ اب تک سینکڑوں ایشیائی لڑکیوں و عورتوں کو میں ڈرائیونگ سکھا چُکی ہوں شائید وُہ ایک ایشین لیڈی ڈرائیونگ انسٹرکٹر کے ہوتے ہوئے ہی ڈرائیونگ سیکھ سکیں کیونکہ ان کے کلچر اور زبان کی وجہ سے وُہ کسی غیر ایشین لیڈی یا مرد سے کبھی سیکھ نہ سکتیں۔ لیکن میری یہ تمنّا رہی کہ میں اردو میں پہلی اور اچھی کتاب لکھوں۔اِس کیلئے میں نے انگریزی کتاب ڈرائیونگ مینول کے اُردو ترجمہ کا مصمّم ارادہ کر لیا۔ لیکن میری اِس خواہش کی تکمیل اتنی آسان نہ تھی۔ میں نے اپنے بیٹے لطافت سے اُردو لکھنے کیلئے کمپیوٹر سیکھا ۔ میری یہ کتاب جنوری میں شائع ہو جاتی مگر اچانک میری پیاری والدہ کا انتقال نومبر 1999ء میں ہو گیا۔ اِس صدمہ سے میں کافی نڈھال ہو گئی اور اِس طرح یہ کتاب جو جنوری 2000ء میں آپ کے ہاتھوں تک پہنچنی تھی کُچھ تاخیر سے شائع ہوئی۔

"ڈرائیونگ مینول اُردو" لکھنے کے بعد اُردو میں " ڈرائیونگ ٹیسٹ گائیڈ" کی ضرورت بھی شِدّت سے محسوس ہو رہی تھی تاکہ ٹیسٹ دینے سے پہلے اِس کا مطالعہ کر کے ڈرائیونگ ٹیسٹ پاس کرنے میں اور آسانی ہو جائے۔

میں نے اپنی کاوِش جاری رکھی اب اُردو میں " ڈرائیونگ ٹیسٹ گائیڈ" کی پہلی کتاب حاضرِ خدمت ہے۔اُمید ہے کہ آپ خاطر خواہِ فائدہ اُٹھائیں گے۔

مسز بانو بشیر

عنوانات

فہرست مضامین — صفحہ نمبر

ڈرائیونگ سٹینڈرڈ ایجنسی کے بارے میں

ڈرائیونگ سٹینڈرڈ ایجنسی (DSA) ڈیپارٹمنٹ آف اینوائرنمینٹ، ٹرانسپورٹ اور ریجنس کی ایگزیکٹو ایجنسی ہے.

ٹیسٹ سینٹرز پر اِسکا سائن آپ کو دکھائی دے گا۔

ڈی۔ایس۔اے ڈرائیونگ سٹینڈرڈ ایجنسی زندگی بھر کیلیئے محفوظ ڈرائیونگ

ڈرائیونگ سٹینڈرڈ میں ترقی دے کر ڈی ایس اے مندرجہ ذیل طریقے اختیار کر کے روڈ سیفٹی میں اضافہ کرتی ہے.

☆...... گاڑی چلانے سے پہلے لوگ گاڑی چلانا سیکھتے ہیں اور پھر ٹیسٹ پاس کر کے بہترین پریکٹس کرتے ہیں۔

اِس سے نہ صرف وہ اعلیٰ معیار قائم کرتے ہیں بلکہ اس میں مزید بہتری بھی پیدا کرتے ہیں۔

☆...... مختلف قسم کے ڈرائیوروں کیلیئے اعلیٰ معیار کی انسٹرکشن یقینی بنا کر۔

☆...... ملک بھر میں متواتر منصفانہ ، تحریری اور عملی ٹیسٹ ، بہترین طریقے سے لے کر۔

☆...... ڈرائیوروں کی ٹریننگ اور ڈرائیونگ سٹینڈرڈ کیلیئے اعلیٰ سینٹر مہیا کر کے۔

☆...... زندگی بھر کیلیئے محفوظ ڈرائیونگ کی ترقی کیلیئے کئی قسم کی مطبوعات (کتابیں) اور اشتہارات شائع کر کے۔

ڈی ایس اے ویب سائٹ

Website: www.driving-tests.co.uk

تعارف

بسم اللہ الرحمن الرحیم

"محفوظ ڈرائیونگ ہمیشہ کیلئے"

ہر سال تقریباً ایک ملین لوگ کار ، موپیڈ یا موٹر سائیکل چلانا سیکھنا چاہتے ہیں۔ آپ اور کئی اور لوگ ڈرائیونگ ٹیسٹ دینا چاہیں گے۔

ٹیسٹ لینے کا مقصد یہ ہے کہ کیا آپ روڈ پر حفاظت سے گاڑی چلا سکتے ہیں؟

اِسلئے یہ انتہائی ضروری ہے کہ ڈرائیونگ کیلئے صحیح رویہ اختیار کیا جائے یعنی ذمہ داری سے ڈرائیونگ کی جائے اور روڈ استعمال کرنے والے اور لوگوں کا خیال رکھا جائے۔

جو ایسا کر سکیں صرف وہی ایل پلیٹس کے بغیر یا ویلز میں ڈی پلیٹس کے بغیر روڈز اور موٹرویز پر گاڑی چلانے کا حق رکھتے ہیں۔

ٹیسٹ پاس کرنے سے پتہ چلے گا کہ آپ نے تھیوری سیکھ لی ہے۔

لیکن یہ ضروری ہے کہ جو کُچھ آپ نے سیکھا ہے اُسے سمجھیں اور اُس کی پریکٹس کریں جو انسٹرکشن آپ کو ٹیسٹ سے پہلے ملی ہے وہ مزید مہارت اور تجربہ حاصل کرنے کی بنیاد ہے۔

ٹیسٹ آپ کے ڈرائیونگ کیریئر کی ابتدا ہے۔ آپ کو یہ نہیں سمجھنا چاہئے کہ ڈرائیونگ ٹیسٹ پاس کرنے سے آپ ایک اچھے ڈرائیور بن گئے ہیں اور اب آپ کو اور سیکھنے کی ضرورت نہیں۔

آپ کے عملی ٹیسٹ کے دوران آپ کا ایگزامینر اس کتاب میں دیئے گئے سٹینڈرڈ کے مطابق ڈرائیو کرتے ہوئے دیکھنا چاہے گا۔ یہ سٹینڈرڈز مثالوں کے ساتھ آسان زبان میں بتائے گئے ہیں جو یہ وضاحت کرتی ہیں کہ کیا کرنا ضروری ہے۔ تاہم ڈرائیورنگ کے متعلق وقت سے پہلے کُچھ کہنا ممکن نہیں روڈ کے حالات یا واقعات چاہیں گے کہ آپ اپنے ذہن یا عام سوجھ بوجھ سے کام لیں۔ آپ کو چاہئے کہ کسی بھی قسم کے حالات نبٹنے کیلئے اِس کتاب میں دی گئی ہدایات سے کام لیں۔

اِس بات کو یقینی بنائیں کہ آپ کا مقصد ہے "محفوظ ڈرائیونگ زندگی بھر کیلئے"

اِس کتاب کے بارے میں

یہ کتاب آپ کی مدد کرے گی۔

☆...... صحیح طریقے سے ڈرائیونگ سیکھنے کیلیئے۔

☆...... پریکٹیکل ڈرائیونگ ٹیسٹ کیلیئے تیاری اور ٹیسٹ پاس کرنے کیلیئے۔

سیکشن 1 ۔ بتاتا ہے کہ ٹیسٹ سے پہلے کیا کرنا ہے ۔

سیکشن 2 ۔ ٹیسٹ کی ضروریات مع سادہ اور واضح ہدایات کے ساتھ ۔

سیکشن 3 ۔ یہ حصہّ Disqualified ڈرائیورز کے بارے میں Extended ٹیسٹ کے متعلق ہے۔

سیکشن 4 ۔ اِس میں ڈرائیونگ سیکھنے کیلیئے سیلبس ہے اور مہارت کا ذکر ہے جو آپ کو حاصل کرنی ہے۔ ٹیسٹ سے پہلے اِسکو باقاعدگی سے پڑھتے رہا کریں۔

اہم باتیں۔

یہ کتاب آپ کی ٹریننگ کیلیئے ایک اہم ضروریات میں سے ایک ہے۔

اِس کے علاوہ مندرجہ ذیل کی بھی ضرورت پڑے گی۔

☆...... ایک اچھا انسٹرکٹر

☆...... بہت زیادہ پریکٹس

☆...... آپ کا صحیح رویہّ

آپ کو اپنی ٹریننگ کا خود بندوبست کرنا ہو گا۔

آپ کا مقصد ہونا چاہئے کہ زندگی بھر کیلیئے ایک اچھا اور پُر اعتماد ڈرائیور بنیں۔ نہ کہ صرف ٹیسٹ پاس کرنا۔

ڈرائیونگ پوری زندگی کیلیئے ایک ہُنر ہے ۔
آپ کا ٹیسٹ توصرف اِس کی ابتداء ہے۔

آپ کے مطالعہ کیلئیے کتابیں۔

ہائی وے کوڈ ضرور پڑھئیے۔ کسی بھی اچھی کتابوں کی دوکان سے مل جائے گی۔

ڈی ایس اے ڈرائیونگ سکلز (Skills) کے متعلق مندرجہ ذیل کتابیں آپ کو ڈرائیونگ کے بارے میں خاصی معلومات فراہم کرتی ہیں یہ سب سٹیشنری آفس کی شائع کردہ ہیں۔

- دی آفیشل تھیوری ٹیسٹ فار کار ڈرائیورز اینڈ موٹر سائیکلِسٹ
- دی آفیشل ڈرائیونگ مینول اِن اُردو
- دی آفیشل گائیڈ ٹو اکمپنینگ(Accompanying)ایل ڈرائیورز

ویڈیو

-دی ڈرائیونگ ٹیسٹ۔این اِنسائیڈ ویو یہ بتاتا ہے کہ ایگزامینر ز کیا دیکھنا چاہتے ہیں۔ اور کُچھ عملی تیاری کے طریقے بتاتا ہے۔یہ صرف بذریعہ ڈاک آرڈر دے کر منگایا جاسکتا ہے۔

فون نمبر= **0870 241 4523**

سی۔ڈی۔رام

دی آفیشل تھیوری ٹیسٹ۔ یور لائیسنس ٹو ڈرائیو یہ جدید طریقہ سے ڈرائیونگ سکھاتا ہے۔

سیکشن 1 ڈرائیونگ ٹیسٹ سے پہلے

اس سیکشن میں بتایا گیا ہے کہ ٹیسٹ کیلئے اپنے آپ کو کیسے تیار کیا جائے۔

موضوعات

☆...... تھیوری ٹیسٹ

☆...... پریکٹیکل ڈرائیونگ ٹیسٹ

☆...... ڈرائیونگ ٹیسٹ کیلئے اپنے آپ کو تیار کرنا

☆...... ڈرائیونگ سیکھنے کی لاگ بُک لکھنا

☆...... ڈرائیونگ ٹیسٹ کیلئے درخواست کیسے دینا

☆...... ڈرائیونگ ٹیسٹ کیلئے جانے سے پہلے

☆...... ڈرائیونگ ٹیسٹ پاس کرنے کے بعد

تھیوری ٹیسٹ

ڈرائیونگ ٹیسٹ سے پہلے آپ کو تھیوری ٹیسٹ پاس کرنا پڑتا ہے ۔ تھیوری ٹیسٹ پاس کرنے پر آپ کو ایک سرٹیفکیٹ ملتا ہے۔ جو پریکٹیکل ڈرائیونگ ٹیسٹ کے وقت دکھانا پڑتا ہے۔

مندرجہ ذیل سے تھیوری ٹیسٹ سینٹر کے بارے میں معلومات حاصل کر سکتے ہیں

☆......ڈرائیونگ انسٹرکٹر (ADI)

☆......ڈرائیونگ ٹیسٹ سینٹر

☆......ٹیلیفون انفورمیشن لائن

0870 01 01 372

ہائی وے کوڈ اور تھیوری ٹیسٹ کتابوں کا مطالعہ کریں۔ خطرے کی ویڈیو دیکھیں

اگر آپ مکمل تیاری کر کے ٹیسٹ کیلئے جائیں گے تو سوالوں کے جواب میں کوئی مشکل پیش نہ آئے گی۔

دی آفیشل تھیوری ٹیسٹ فار کار ڈرائیورز میں سوالات وجوابات دیئے ہوئے ہیں جو صحیح جواب ہیں وہی پریکٹیکل ڈرائیونگ کرنے میں استعمال ہوتے ہیں ۔ ڈرائیونگ ٹیسٹ میں ایگزامینر ڈرائیونگ تھیوری کے مطابق ٹیسٹ لے گا۔

پریکٹیکل ڈرائیونگ ٹیسٹ

ڈرائیونگ ٹیسٹ بڑا آسان ہے

اگر آپ اپنے ایگزامینر کو مندرجہ ذیل کے بارے میں یقین دلادیں تو ٹیسٹ میں پاس ہو جائیں گے۔

☆...... آپ محفوظ ڈرائیونگ کر سکتے ہیں

☆...... جو بھی ڈرائیونگ ٹیسٹ میں شامل ہے صحیح طریقہ سے آپ کر سکتے ہیں

☆...... ڈرائیونگ ٹیسٹ میں دکھا سکتے ہیں کہ آپ کو ہائی وے کوڈ کا مکمل علم ہے۔

کیا ڈرائیونگ ٹیسٹ کے سٹینڈرڈ میں بھی کوئی فرق رکھا جاتا ہے؟

نہیں ایسا ہرگز نہیں ہوتا۔ بلکے تمام ایگزامینر کو ایسی ٹریننگ دی جاتی ہے کہ وہ ایک ہی درجہ کا ٹیسٹ لیں۔ اُس میں کوئی فرق نہ ہو اور نہ ہی کسی کو کوئی شکایت کا موقع ملے۔

ٹیسٹ رُوٹس کو اس طریقہ سے مقامی طور پر ڈیزائن کیا گیا ہے کہ ڈرائیونگ اور روڈ کی خاص کنڈیشنز کو شامل کیا جائے۔

کیا ایگزامینر کو بھی سپروائیز کیا جاتا ہے؟

جی ہاں بعض اوقات بڑا آفیسر آپ کے ٹیسٹ کے دوران گاڑی میں پچھلی سیٹ پر بیٹھ جاتا ہے اور ایگزامینر کو دیکھتا ہے کہ وُہ آپ کا ڈرائیونگ ٹیسٹ کیسے لیتا ہے۔ لیکن آپ کو اس کی فکر نہیں کرنی چاہئے کیونکہ وُہ آپ کو ٹیسٹ نہیں کرتا اور نہ ہی آپ کے ٹیسٹ میں کوئی دخل اندازی کرتا ہے بلکہ وُہ ایگزامینر کا امتحان لیتا ہے آپ کو اپنی ڈرائیونگ پر دھیان رکھنا چاہئے۔

کیا میں اپنے ٹیسٹ میں کسی کو ساتھ بٹھا سکتی / سکتا ہوں؟

جی ہاں آپ کا انسٹرکٹر بھی آپ کے ساتھ بیٹھ سکتا ہے۔ مگر اُس کو کسی قسم کی دخل اندازی کرنے یا بولنے کی اجازت نہیں ہوتی۔

اگر آپ کو زبان سمجھنے کا مسئلہ ہے تو آپ اپنے ساتھ انٹرپریٹر جو سولہ سال یا اُس سے زیادہ عمر کا ہو لا سکتے ہیں۔ مگر انٹرپریٹنگ کیلئے آپ کے انسٹرکٹر کو اجازت نہیں ہے۔

کیا میں ایٹومیٹک گاڑی میں ٹیسٹ دے سکتی / سکتا ہوں؟

جی ہاں آپ ایٹومیٹک گاڑی میں ٹیسٹ دے سکتے ہیں مگر پاس کرنے کے بعد اُسی گاڑی کو چلانے کا لائیسنس حاصل کریں گے اور گیئرز والی گاڑی چلانے کیلئے عارضی لائیسنس ہی ہوگا۔

ایگزامینر کس قسم کی ڈرائیونگ چاہتا ہے؟

ایگزامینر چاہتا ہے کہ آپ مختلف روڈ اور ٹریفک کنڈیشن کے مطابق محفوظ اور صحیح ڈرائیونگ کرنے کے قابل ہیں

کہ نہیں۔ ایگزامینر اپنی تسلی کرنا چاہے گا اور

☆...... آپ کو صحیح اور اچھے وقت ڈرکشن دے گا ۔

☆...... آپ کو خاص مشق (کورنر ریورس. تھری پوئنٹ ٹرن. ریورس پارکنگ) کرنے کا کہے گا۔

ایگزامینر چاہتا ہے کہ آپ تسلی بخش ڈرائیونگ کریں۔ ٹیسٹ کے دوران آپ ضرورت کے مطابق بات بھی کر سکتے ہیں مگر یہ خیال رکھنا ہوتا ہے کہ ڈرائیونگ پر مکمل دھیان ہو ورنہ کوئی ایسی غلطی بھی ہو سکتی ہے جس سے آپ ناکام ہو جائیں۔

ٹیسٹ میں مجھے کیسی ڈرائیونگ کرنی چاہئے ؟

ایسی ڈرائیونگ کریں جیسے آپ کے انسٹرکٹر نے آپ کو سکھایا ہے۔

اگر کوئی غلطی ہو جائے تو فکر نہ کریں بلکہ اپنی ڈرائیونگ پر پورا دھیان اور توجہ دیں۔

ٹسٹ ٹوٹل کتنے وقت کا ہوتا ہے ؟

تقریباً40 منٹ کا۔

جن لوگوں نے قانون کی خلاف ورزی کی ہے اُن کے ٹیسٹ کا وقت تقریباً70 منٹ کا ہوتا ہے۔

اگر میں کوئی خطرناک غلطی کر دوں تو کیا ہو گا ؟

اگر آپ ٹیسٹ میں کوئی ایسی غلطی کرتے ہیں جو دوسرے روڈ کو استعمال کرنے والوں کیلئے خطرناک ہو تو آپ کا ٹیسٹ جاری نہیں رہے گا۔

یاد رکھیں کہ ٹیسٹ کیلئے اُس وقت تک نہ جائیں جب تک اس کتاب کے مطابق آپ کی پوری اور تسلّی بخش تیاری نہ ہو۔

ٹیسٹ میں کیا شامل ہو گا ؟

عام ڈرائیونگ کے علاوہ آپ کے ٹیسٹ میں مندرجہ ذیل بھی شامل ہو گا

☆...... نظر کا ٹیسٹ (اگر آپ نظر میں فیل ہو گئے تو آپ کا ٹیسٹ جاری نہیں رہے گا)

☆...... مندرجہ ذیل میں سے کوئی بھی دو کا کرنا ضروری ہے

--گاڑی کو کورنر پر ریورس کرنا

--گاڑی کو روڈ پر واپس موڑنا (تھری پوئنٹ ٹرن)

--گاڑی کو ریورس کر کے پارک کرنا۔

اور اس کے علاوہ ایمرجنسی میں گاڑی کو روکنا بھی ٹیسٹ میں شامل ہے۔

خاص مشق کا ٹیسٹ کیسے اور کہاں لیا جاتا ہے ؟

خاص مشق کا ٹیسٹ کسی بھی مناسب جگہ پر لے جا کر ایگزامینر آپ کو مشق کرنے کے بارے میں سمجھائے گا اور

پھر آپ کو یہ مشق کرنے کو کہے گا۔

اگر مجھے کوئی بات سمجھ میں نہ آئے تو؟

اگر آپ کو ایگزامینر کی بات سمجھ نہیں آئی تو دوبارہ پوچھ سکتے ہیں۔ایگزامینر کو پتہ ہوتا ہے کہ آپ شائید گھبرائے ہوئے ہوں۔اسلئے سمجھ نہیں سکے۔

ٹیسٹ کا مقصد کیا ہوتا ہے؟

ڈرائیونگ ٹیسٹ کو ایسے ڈیزائن کیا گیا ہے۔ تاکہ پتہ چل جائے کہ

☆...... کیا آپ ڈرائیونگ حفاظت سے کر سکتے ہیں

☆...... آپ کو ہائی وے کوڈ کا علم ہے اور اُسے ڈرائیونگ کے دوران استعمال کر سکتے ہیں۔

ڈرائیونگ ٹیسٹ سے پاس یا فیل کا کیسے اندازہ لگایا جاتا ہے۔

ڈرائیونگ ٹیسٹ کے دوران آپ کی تمام ڈرائیونگ پر نظر رکھی جاتی ہے کہ آپ کس قسم کی غلطی کرتے ہیں۔

ایگزامینر آپ کی ٹیسٹ رپورٹ (DL25) پر ساتھ ساتھ ہر ایک غلطی درج کر تا رہتا ہے۔اگر آپ سے کوئی سنجیدہ یا خطرناک غلطی سر زد ہوگئی ہو تو آپ ٹیسٹ میں فیل ہو جائیں گے اسکے علاوہ اگر آپ نے پندرہ یا اِس سے زیادہ معمولی غلطیاں کی ہیں تو بھی آپ ٹیسٹ میں فیل ہو جائیں گے۔

ایگزامینر ہر غلطی کا مندرجہ ذیل طریقہ سے اندازہ لگاتا ہے۔

ڈرائیونگ میں غلطیاں- غلطی کم سنجیدہ ہے مگر کیسے حالات اور کیسے وقت میں سر زد ہوئی زیادہ غلطیاں اکٹھی ہو جائیں تو ہو سکتا ہے نتیجہ فیل نکلے۔

سنجیدہ غلطی- جب کوئی خطرناک واقعہ ہو جائے یا جس غلطی سے یہ ظاہر ہو کہ سیکھنے والے کی ڈرائیونگ میں ابھی عادی کمزوریاں ہیں۔

خطرناک غلطی- ٹیسٹ کے دوران ایسی غلطی جو صحیح معنوں میں اصل خطرہ شمار کی گئی ہے۔

آپ کا ٹیسٹ ختم ہونے پر آپ کو ٹیسٹ رپورٹ کے بارے میں سمجھایا اور مشورہ بھی دیا جاتا ہے۔

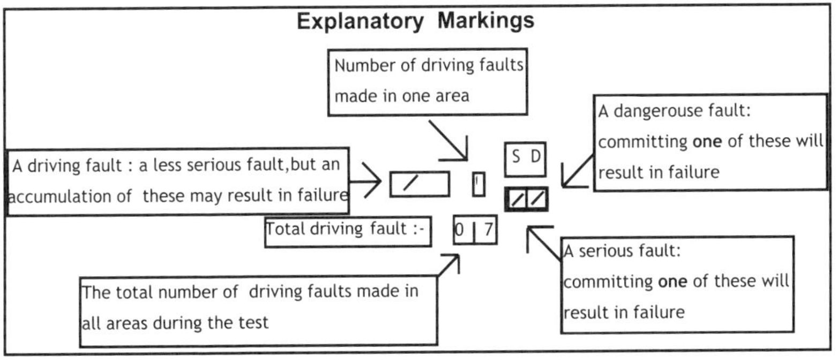

ڈرائیونگ ٹیسٹ کیلئے اپنے آپ کو تیار کرنا

عارضی ڈرائیونگ لائیسنس

روڈ پر ڈرائیونگ کرنے سے پہلے آپ کے پاس دستخط شدہ عارضی لائیسنس ہونا ضروری ہے

اس لائیسنس کیلئے آپ پوسٹ آفس سے فارم (D1) لے کر لائیسنس حاصل کر سکتے ہیں ۔جب آپ لائیسنس وصول کرتے ہیں تو اُس پر اپنے دستخط کرنا نہ بھولیں۔ دستخط کے بغیر یہ صحیح (Valid) نہیں ہے۔

گاڑی کی انشورنس

جس گاڑی پر آپ پریکٹس کریں اُس پر آپ کی انشورنس ہونا لازمی ہے۔ جب آپ ڈرائیونگ ٹیسٹ کیلئے جاتے ہیں تو ٹیسٹ سے پہلے آپ کو گاڑی کی انشورنس کے بارے میں بیان پر دستخط کرائے جاتے ہیں۔

اگر آپ بغیر انشورنس کے گاڑی چلاتے ہیں تو آپ قانون کی سخت خلاف ورزی کے مرتکب پائے جائیں گے۔

یاد رکھیں کبھی ایسا خطرہ مول نہ لیں.

منظور شدہ ڈرائیونگ انسٹرکٹر (ADI)

ڈرائیونگ سٹینڈرڈ ایجنسی کی طرف سے منظور شدہ ڈرائیونگ انسٹرکٹر کو اجازت ہوتی ہے کہ وہ ڈرائیونگ سکھائے اور فیس وصول کرے۔

ڈرائیونگ سٹنڈرڈ ایجنسی کی یہ ذمہ داری ہوتی ہے کہ وہ ڈرائیونگ انسٹرکٹروں کو باقاعدہ چیک کرتے رہیں اور اُن کے ڈرائیونگ سکھانے کے سٹینڈرڈ پر نظر رکھیں اور تسلی کر لیں کہ

☆......اُن کے پاس کم از کم چار سال کا فُل ڈرائیونگ لائیسنس ہے

☆......90 منٹ کا تحریری امتحان اُنہوں نے پاس کیا ہوا ہے

☆......ایک مشکل ڈرائیونگ ٹیسٹ پاس کیا ہوا ہے۔

☆......کہ وہ سکھانے کا اعلیٰ سٹینڈرڈ حاصل کریں اور اِسے ہمیشہ قائم رکھیں۔

اے ڈی آئیز کو ڈرائیونگ سٹینڈرڈ ایجنسی کی طرف سے خاص ایگزامینر باقاعدہ ٹیسٹ لینے کیلئے تیار رہتا ہے۔

☆......ڈرائیونگ سٹنڈرڈ ایجنسی کے ساتھ رجسٹرڈ ہیں۔

☆......ٹیوشن والی گاڑی میں سامنے سکرین پر سرٹیفکیٹ لگا ہے۔ جس سے اے ڈی آئی (ADI) کی پہچان ہوتی ہے

اگر آپ فیس دے کر پریکٹیکل ڈرائیونگ سیکھنا چاہتے ہیں تو تسلی کر لیں کہ آپ کا ڈرائیونگ انسٹرکٹر کوالیفائیڈ ہو اور اُس کے پاس ADI کا سرٹیفکیٹ ہو یہ ممکن نہیں کہ اے ڈی آئی کے علاوہ کسی کے پاس اتنا تجربہ ،علم یا تربیت ہو کہ وہ آپ کو صحیح طریقہ سے سکھا سکے۔

بعض انسٹرکٹرز کے پاس ٹریننگ لائیسنس ہوتا ہے اور اُن کو اجازت ہوتی ہے کہ وہ کوالیفائنگ امتحان دینے سے

پہلے ٹیوشن کے ذریعہ ٹریننگ کریں اور امتحان کی تیاری کا تجربہ حاصل کریں۔ اُن کے پاس گلابی رنگ کا سرٹیفکیٹ ہوتا ہے جو ٹیوشن کی گاڑی میں ونڈ سکرین پر لگانا ضروری ہے۔

اپنے ڈرائیونگ انسٹرکٹر سے مندرجہ ذیل کے بارے میں مشورہ کریں

☆......ڈرئیونگ سیکھنے کے تمام پہلوؤں پر۔

☆......ڈرائیونگ سیکھنے کیلئے کونسی کتابیں پڑھنی ضروری ہیں

☆......کب تک آپ ڈرائیونگ ٹیسٹ کیلئے تیار ہو جائیں گے

☆......پریکٹس کیسے کرنی ہو گی

☆......ڈرائیونگ ٹیسٹ پاس کرنے کے بعد آپ مزید ٹریننگ (پاس پلس)

اے ڈی آئی (ADI) کا انتخاب کیسے کیا جائے

☆......اپنے دوستوں یا رشتہ داروں سے پوچھیں

☆......ایسے انسٹرکٹر کا انتخاب کریں

- جس کی شہرت اچھی ہو
- جو قابلِ اعتبار اور وقت کا پابند ہو
- جس کی گاڑی آپ کیلئے مناسب ہو

رضاکارانہ کوڈ آف پریکٹس

ڈرائیونگ انسٹرکٹرز کے درمیان ایک رضاکارانہ ضابطہ پریکٹس طے ہوا ہے۔ اے ڈی آئیز کیلئے یہ ضابطہ مندرجہ ذیل معاملات کے متعلق ہے۔

☆......اُن کی کوالیفکیشن کا معیار

☆......ٹیوشن دیتے وقت ان کا ذاتی رویہّ

☆...... اُن کے کاروبار کا پیشہ ورانہ رویہّ

☆......اُن کی ایڈورٹائزنگ کس حد تک قابل قبول ہے۔

☆......شکایات وہ کیسے نمٹاتے ہیں

مزید معلومات کیلئے فون کریں ڈی ایس اے ایچ کیو DSA HQ 0115 901 2500

آپ کو انسٹرکٹر کے علاوہ کب اور کیسے پریکٹس کرنی ہے

اگر آپ کسی ڈرائیونگ انسٹرکٹر سے لیسن لیتے ہیں اور اس کے علاوہ اپنے کسی دوست یا رشتہ دار کے ساتھ اور بھی پریکٹس کرنا چاہتے ہیں تو اس کے بارے میں اپنے انسٹرکٹر سے پوچھ لیں تو بہتر ہو گا۔

جس کے ساتھ آپ پریکٹس کرنا چاہتے ہیں اُس کو اسی گاڑی کے مطابق ڈرائیونگ ٹیسٹ پاس کئے ہوئے تین سال اور عمر کم از کم اکیس سال ہونا ضروری ہے۔

ہائی وے کوڈ کا مطالعہ

☆......ہائی وے کوڈ کا جاننا اور سمجھنا ضروری ہے

☆......ڈرائیونگ کے دوران ہائی وے کوڈ پر عمل کریں

ڈرائیونگ کی پریکٹس کیسے اور کہاں کرنی چاہیئے

پریکٹس کریں

☆...... جتنا بھی ہو سکے مختلف قسم کے روڈ پر گاڑی ڈرائیو کریں

☆......ہر طرح کی ٹریفک کنڈیشن اور رات کے اندھیرے میں بھی ڈرائیونگ کریں

☆......ڈیول کیرج وے پر بھی جہاں زیادہ سپیڈ والے روڈ پر ڈرائیونگ کرنی پڑتی ہے۔

ٹیسٹ کے دوران ہو سکتا ہے اسی قسم کے روڈ پر ڈرائیونگ کرنی پڑ جائے۔ جو خاص مشقیں ڈرائیونگ ٹیسٹ میں شامل ہیں صرف اُن ہی مشقوں پر دھیان رکھنا کافی نہیں بلکہ ہر قسم کی ڈرائیونگ پر دھیان کی ضرورت ہوتی ہے۔

پریکٹس کے دوران کوشش کریں کہ

☆......دوسری ٹریفک کیلئے رکاوٹ نہ بنیں: بعض اوقات دوسرے ڈرائیور سیکھنے والوں کو موقع دینے کیلئے تھوڑا صبر کر لیتے ہیں مگر آپ اتنی دیر بھی نہ لگائیں کہ اُن کے صبر کا پیمانہ لبریز ہو جائے۔

☆......مقامی باشندوں کو تنگ نہ کریں : مثلاً خاموش رہائیشی گلیوں میں بار بار ایمر جنسی سٹاپ کی پریکٹس نہ کریں یا ٹیسٹ کے راستوں پر بار بار پریکٹس نہ کریں۔

میں ٹیسٹ کیلئے کب تیار ہو جاؤں گی / گا؟

جب اس کتاب کے سٹینڈرڈ کے مطابق آپ ڈرائیونگ کر سکیں گے۔

جب آپ ڈرائیونگ کا پورا سیلبس یقیناً مکمل کر لیں یا سب کُچھ سیکھ جائیں ۔

کئی لوگ پہلی بار ٹیسٹ پاس کر لیتے ہیں کیونکہ اُن کو صحیح طریقہ سے سکھایا گیا ہے اور انہوں نے خود بھی بہت زیادہ پریکٹس کی ہوتی ہے۔

پہلی بار ٹیسٹ پاس کرنے والے اُس وقت تک انتظار کرتے ہیں جب تک مکمل تیار نہ ہو جائیں۔

مجھے کیسے پتہ چلے گا کہ میں کب ٹیسٹ کیلئے تیار ہو جاؤں گی / گا

آپ کے انسٹرکٹر کو اتنا علم اور تجربہ ہے کہ بتا سکے کہ آپ کب تک ٹیسٹ کیلئے تیار ہو جائیں گے۔

اگر آپ اور آپ کا انسٹرکٹر اپنی لاگ بُک مکمل کرتے رہیں گے تو یہ بتا سکیں گے کہ آپ کب ٹیسٹ کیلئے تیار ہیں۔

جب آپ ڈرائیونگ کر سکیں

☆...... متواتر اچھی اور پورے اعتماد سے

☆...... بغیر انسٹرکٹر کی مدد اور نگرانی کے

اگر آپ ایسا نہ کر سکیں تو آپ ٹیسٹ کیلئے تیار نہیں ہیں۔ جب تک آپ مکمل طور پر تیار نہیں ہیں انتظار کریں اس طرح آپ وقت اور پیسہ بچا سکیں گے۔

ڈرائیونگ سیکھنے کی لاگ بُک لکھنا

ڈرائیونگ سیکھنے کی لاگ بُک لکھنا

ڈرائیونگ سٹینڈرڈ ایجنسی سے ڈرائیونگ سیکھنے کے ریکارڈ کیلئے کتاب ملتی ہے۔ اِس میں جو لیسن لیں اور اِسکے علاوہ جو پرائیویٹ پریکٹس کریں اس کا ریکارڈ رکھیں۔اِس طرح آپ جب چاہیں اپنی تیاری کے بارے میں معلوم کر سکیں گے۔

یہ لاگ بک اپنے انسٹرکٹر یا اپنے لوکل ٹیسٹ سینٹر سے حاصل کر سکتے ہیں ۔یہ کتاب پاکٹ سائیز کی ہوتی ہے۔ اس میں مندرجہ ذیل طریقہ سے بتایا گیا ہے

☆...... **لیسن ریکارڈ-** انسٹرکٹر نے کیا بتایا اس کیلئے جگہ ہوتی ہے اور یہ نوٹ لکھا ہوتا ہے آپ کو کس ایریا میں پریکٹس کرنے کی ضرورت ہے۔ آپ کی رائے کیلئے بھی جگہ ہوتی ہے۔

☆...... **مضمون ریکارڈ-** اس میں ڈرائیونگ سیکھنے کے تمام موضوعات کا ریکارڈ ہوتا ہےاور آپ کے انسٹرکٹر کیلئے آپ کی ٹریننگ کے بارے میں لکھنے کی جگہ بھی ہوتی ہے اِس سے فوراً آپ کو پتہ چل سکتا ہے کہ آپ کو کس موضوع پر زیادہ توجہ دینی ہے۔

☆...... **پرائیویٹ پریکٹس-** جو ڈرائیونگ آپ نے کی ہے اُس کی جگہ کتاب میں ہے وہاں لکھیں اور جو مشکلات آپ کو پیش آئیں اُن کا بھی ذکر کریں اور اپنے انسٹرکٹر سے اس پر بات چیت کریں۔

☆...... **تھیوری ٹیسٹ-** اِس میں جو بھی موضوع آپ نے کر لیئے ہیں آپ اور آپ کے انسٹرکٹر اِسے ٹِک کرتے ہیں تاکہ آپ کی پروگریس پتہ چلتی رہے۔

ڈرائیونگ ٹیسٹ کیلئے درخواست کیسے دینا

ٹیسٹ کیلئے درخواست دینا

ٹیسٹ درخواست فارم (DL26) آپ کسی بھی ڈرائیونگ ٹیسٹ سینٹر سے یا اپنے ڈرائیونگ انسٹر کٹر سے حاصل کر سکتے ہیں جو آپ کو اس کی فیس کے بارے میں بھی بتائے گا۔ فارم کے پیچھے ایڈرس یا پتہ لکھا ہوتا ہے کہ آپ نے یہ فارم بھرنے کے بعد کہاں بھیجنا ہے اس میں اپنی مرضی کا ٹیسٹ سنٹر بھی لکھیں جہاں پر ٹیسٹ کیلئے جانا چاہتے ہیں۔

☆...... ٹیسٹ کیلئے مناسب وقت لینے کیلئے بہت پہلے فارم بھیج دیں۔

☆...... جو تاریخ اور دن آپ بہتر سمجھیں لکھ دیں۔

ویزا کارڈ سے مندرجہ ذیل ٹیلیفون نمبر سے بھی بکنگ کرا سکتے ہیں ۔ ٹیلیفون نمبر :- 0870 0101 372

اگر آپ ایسی سروس استعمال کرنا چاہتے ہیں تو ڈرائیونگ ٹیسٹ کلرک آپ کو فون پر ہی ٹیسٹ کا دن ٹائم اور تاریخ بتادے گا۔ اور چند دن تک آپ کو ٹیسٹ کے بارے میں تفصیل کا کارڈ بھی مل جائے گا۔

بکنگ کلرک آپ سے مندرجہ ذیل تفصیلات پوچھے گا۔

☆...... آپ کا تھیوری ٹیسٹ پاس سرٹیفکیٹ نمبر

☆...... ڈرائیونگ لائیسنس نمبر

☆...... کس قسم کی کار کا ٹیسٹ دینا ہے

☆...... آپ کی ذاتی تفصیل (نام ، پتہ، ٹیلیفون نمبر)

☆...... ڈرائیونگ سکول کوڈ نمبر (اگر آپ کو معلوم ہو)

☆...... آپ کس تاریخ کو ٹیسٹ دینا چاہتے ہیں

☆...... آپ کو جو دن اور وقت نہیں چاہیے

☆...... کیا آپ تھوڑے نوٹس پر ٹیسٹ دے سکتے ہیں (ضروری سمجھیں تو اپنے انسٹر کٹر سے مشورہ کرلیں)

☆...... کیا کوئی تکلیف یا کوئی خاص مشکل ہے۔

☆...... کریڈٹ / ڈیبٹ کارڈ نمبر اور اِسکے ختم ہونے کی تاریخ

ہفتہ (چھٹی) کے دن یا شام کے وقت ٹیسٹ

ہفتہ کے دن یا سوموار سے لے کر جمعہ تک شام کو ڈرائیونگ ٹیسٹ کچھ سینٹرز میں دے سکتے ہیں۔ اِن کی فیس عام دن کی نسبت زیادہ دینی پڑتی ہے۔ شام کے وقت ٹیسٹ صرف گرمیوں کے موسم میں دے سکتے ہیں۔

اس کے بارے میں تفصیلات پوچھ سکتے ہیں۔

☆......ڈرائیونگ سٹینڈرڈ ایجنسی (DSA) سے

☆......ڈرائیونگ ٹیسٹ سینٹرز سے

☆......اپنے ڈرائیونگ انسٹرکٹر (ADI) سے

ڈرائیونگ ٹیسٹ فیس کیسے ادا کر سکتے ہیں۔

☆......بذریعہ چیک

☆......بذریعہ پوسٹل آرڈر

☆......کریڈٹ / ڈیبٹ کارڈ سے

یاد رکھیں ٹیسٹ فیس کیش کبھی نہ بھیجیں.

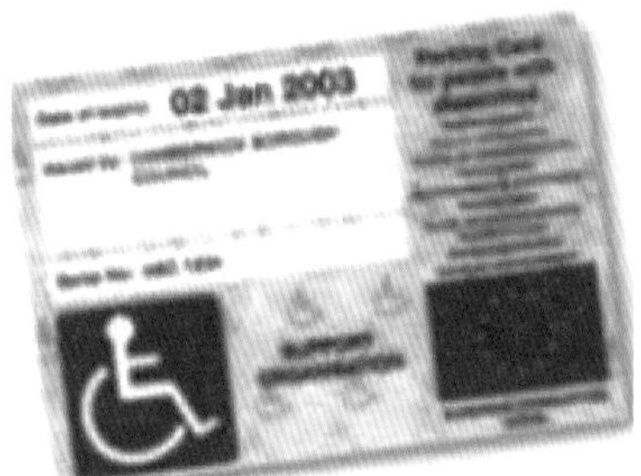

معذوری یا خاص حالات

آپ ٹیسٹ کیلئے مناسب وقت دینے کیلئے ڈرائیونگ سٹینڈرڈ ایجنسی کو مندرجہ ذیل کے بارے میں پہلے ہی بتادیں۔

☆......کیا آپ اونچا سنتے ہیں یا بہرے ہیں

☆......کیا جسم میں کسی تکلیف کی وجہ سے ہلنے جلنے میں مشکل پیش آتی ہے

☆......کیا کسی قسم کی کوئی معذوری یا کمزوری ہے جس کا ڈرائیونگ پر اثر پڑتا ہے۔

آپ میں اوپر دی گئی کوئی بھی کمزوری ہو تو درخواست میں لکھ دیں۔

اگر آپ انگلش بول یا سمجھ نہیں سکتے یا آپ بہرے ہیں تو اپنے ساتھ انٹرپریٹر بھی لا سکتے ہیں جو سولہ سال سے کم عمر نہ ہوں (مگر اس کام کیلئے اپنا انسٹرکٹر نہیں لا سکتے)۔

آپ کو کیسی بھی مشکل یا معذوری ہو آپ دوسرے امیدواروں جیسا ہی ڈرائیونگ ٹیسٹ دے سکتے ہیں۔ تاہم ٹیسٹ کیلئے زیادہ وقت دیا جاتا ہے۔ یہ اسلیئے ہے کہ آپ کا ایگزامینر آپ کی تکلیف کے بارے میں بات کر سکے اور آپ کی گاڑی میں جو خاص بندوبست کیا ہوا ہے اُس پر آپ سے بات چیت کر سکے۔ اگر اس کے بارے میں مزید تفصیل کی ضرورت ہو تو اس کتاب کے پیچھے جو ایڈریس دیئے ہوئے ہیں اُن پر رابطہ کر لیں

آپ کے ٹیسٹ کی اپوئنٹ منٹ

ڈرائیونگ سٹینڈرڈ ایجنسی آپ کی فیس اور فارم کے ملنے پر آپ کو ایک لیٹر پوسٹ کرے گی جس کو آپ ٹیسٹ کے وقت ساتھ لے کر جائیں۔

اس میں مندرجہ ذیل معلومات ہو نگی۔

☆......ٹیسٹ کا ایریا اور ٹیسٹ کا وقت

☆......ڈرائیونگ ٹیسٹ سینٹر کا پورا پتہ

☆......اور ضروری انفورمیشن

اگر آپ کو دو ہفتہ تک کوئی اطلاع نہ آئے تو ڈرائیونگ سٹینڈرڈ ایجنسی سے مندرجہ ذیل ٹیلی فون پر رابطہ کریں (0870 01 01 372)

ٹیسٹ اپوئنٹ منٹ کو ملتوی کرنا

ڈی ایس اے سے رابطہ کریں مثلاً

☆...... آپ کیلئے دن یا وقت مناسب نہیں ہے۔

☆...... آپ ٹیسٹ کینسل یا ملتوی کرنا چاہتے ہیں۔

تو آپ چھٹیوں کے علاوہ پورے دس دن (دو ہفتے) پہلے DSA کو نوٹس دیں۔

اس نوٹس میں مندرجہ ذیل دن شمار نہیں ہو نگے۔

☆......جس دن ڈی ایس اے (DSA) کو آپ کا نوٹس ملے۔

☆...... ٹیسٹ کا دن۔

اگر آپ وقت پر نوٹس نہیں دیں گے تو آپ کی ٹیسٹ فیس ضائع ہو جائے گی۔

ڈرائیونگ ٹیسٹ کیلئے جانے سے پہلے

ضروری کاغذات

جب آپ ڈرائیونگ ٹیسٹ کیلئے جائیں تو یہ تسلّی کرلیں کہ آپ کے پاس عارضی لائیسنس جس پر آپ کے دستخط ہیں اور تھیوری ٹیسٹ پاس سرٹیفکیٹ موجود ہے۔

مندرجہ ذیل لائیسنس قابلِ قبول ہیں

☆...... گریٹ بریٹن کا جاری کردہ عارضی ڈرائیونگ لائیسنس یا جی بی (GB) فُل لائیسنس برائے عارضی اِین ٹائیٹل مینٹ

☆...... ناردرن آئرلینڈ (این آئی) کا جاری کردہ عارضی لائیسنس یا فُل لائیسنس برائے عارضی اِین ٹائیٹل منٹ

☆...... اگر آپ کسی ایسے لائیسنس کیلئے ٹیسٹ دے رہے ہیں جسے آپ کا فُل EU لائیسنس کور نہیں کرتا تو ایک EC\EEA لائیسنس کے ساتھ ساتھ GB لائیسنس کی بھی ضرورت ہے۔

اگر آپ کے پاس کسی دوسرے ملک کا فُل ڈرائیونگ لائیسنس ہے لیکن وہ لائیسنس گریٹ بریٹن کے لائیسنس کا متبادل نہیں ہے تو پھر بھی GB عارضی لائیسنس کے ساتھ ٹیسٹ کے وقت لانا ضروری ہے ۔

برائے مزید معلومات DVLA انفارمیشن شیٹ D100 پوسٹ آفس سے لے لیں ۔ اگر آپ اِن میں سے کوئی بھی لائیسنس نہیں دکھا سکتے تو آپ کا ایگزامینر آپ کا ٹیسٹ نہیں لے سکتا۔ اگر آپ کے پاس فوٹو لائیسنس ہے تو آپ اسکا دوسرا حصّہ بھی ساتھ لائیں۔

شناختی کارڈ یا فوٹو

اگر آپ کے ڈرائیونگ لائیسنس پر فوٹو نہیں ہے

تو مندرجہ ذیل میں سے کوئی بھی ساتھ لے جاسکتے ہیں مثلاً

☆...... پاسپورٹ جس پر آپ کے دستخط ہوں یہ ضروری نہیں کہ برٹش پاسپورٹ ہی ہو۔

مندرجہ ذیل میں سے کوئی بھی شناختی کارڈ جس پر آپ کے دستخط ہوں اور فوٹو لگا ہو۔

- اپنی نوکری کا شناختی کارڈ
- سٹوڈینٹ یا ٹریڈ یونین کارڈ
- سکول کا ریل گاڑی کا پاس
- سکول کا بس پاس
- چیک گارنٹی کارڈ یا کریڈٹ کارڈ
- بندوق کا لائیسنس

- عُمر کے ثبوت کا کارڈ (پورٹ مین گروپ کا جاری کردہ)
-سٹینڈرڈ اکناج لجمینٹ لیٹر (SAL طرز کا) ہوم آفس کا جاری کردہ

☆...... آپ کا کوئی بھی فوٹو جس کے پچھلی طرف مندرجہ ذیل میں سے کسی کے دستخط اور تاریخ لکھی ہو اور اِس بات کی تصدیق کی گئی ہو کہ یہ فوٹو ہو بہو آپ سے ملتا جُلتا ہے:-

- منظور شدہ ڈرائیونگ انسٹرکٹر (ADI)
- DSA کا تصدیق شدہ موٹر سائیکل انسٹرکٹر
- پارلیمنٹ کا ممبر
- لوکل اتھارٹی کونسلر
- کوالیفائیڈ ٹیچر
- جسٹس آف پیس
- سول سرونٹ
- پولیس آفیسر
- بنک آفیشل
- مذہبی منیسٹر
- بیرسٹر یا وکیل
- ڈاکٹر
-LGV ٹرینز آف DSA والینٹری رجسٹر آف انسٹرکٹرز LGV ہر میجسٹی فورسز کا کمشنڈ آفیسر ۔

اگر آپ اوپر دی گئی کوئی ایک شناخت نہ دے سکے تو آپ کا ٹیسٹ کینسل ہو جائے گا۔

ٹیسٹ کیلئے گاڑی

جس گاڑی میں ٹیسٹ دینا ہو وہ مندرجہ ذیل طرح کی ہونی چاہیئے۔

☆...... قانونی طور پر روڈ پر چلنے کے قابل ہو اور جاری MOT ہونا چاہیئے اگر گاڑی تین سال سے زیادہ پرانی ہے۔

☆...... فُل انشورنس اور ساتھ میں آپ کی بھی ڈرائیونگ انشورنس ہو

ٹیسٹ سے پہلے آپ کا ایگزامینر آپ کو گاڑی کی انشورنس کے بارے میں ایک بیان پر دستخط کرائے گا کہ آپ کی گاڑی کی انشورنس جاری ہے اگر آپ ایسا نہ کر سکے تو آپ کا ٹیسٹ کینسل کر دیا جائے گا۔

نوٹ : کرائے کی گاڑی ڈرائیونگ ٹیسٹ کیلئے عام طور پر انشورڈ نہیں ہوتی۔ بیان پر دستخط کرنے سے پہلے گاڑی کی انشورنس مالک یا کمپنی سے چیک کرلیں۔

ٹیسٹ کی گاڑی پر مندرجہ ذیل لگا ہونا بھی ضروری ہے۔

☆......روڈ ٹیکس ڈسک۔

☆......ایل پلیٹس گاڑی کے سامنے اور پیچھے کی طرف۔ مگر ونڈ سکرین یا پچھلی ونڈو پر نہ لگی ہوں۔ تاکہ آپ کو اور ایگزامینر کو روڈ پر صاف دکھائی دے سکے۔

آپ کی گاڑی میں مندرجہ ذیل کا ہونا بھی ضروری ہے۔

☆......فرنٹ سیٹ کیلیئے سیٹ بیلٹ جو کام کر رہا ہو۔

☆......فرنٹ سیٹ کیلیئے ہیڈ ریسٹرینٹ لگے ہوں۔

☆......ایگزامینر کیلیئے فالتو شیشہ لگا ہو جس سے وہ پیچھے کی ٹریفک دیکھ سکے۔

اگر آپ اِن میں سے کسی پر لاپرواہی کریں گے تو (خاص بنائی گئی گاڑیاں اِن لوازمات سے معاف سمجھی جاسکتی ہیں)۔

☆......ٹیسٹ کینسل ہو جائے گا ☆......ٹیسٹ کی فیس ضائع ہو جائے گی۔

آپ کی گاڑی کی حالت

آپ کی گاڑی میں کوئی نقص یا خرابی نہیں ہونی چاہئے قانون کے مطابق تمام سامان نہ صرف فِٹ ہونا چاہئے بلکہ کام بھی کرتا ہو۔ اکثر جدید گاڑیوں میں ایک فالتو پہیہ ہوتا ہے جو عارضی استعمال کیلیئے ضروری ہے۔ آپ کی گاڑی ٹیسٹ کیلیئے ٹھیک نہیں سمجھی جائے گی اگر فالتو پہیہ (سپیئر ویل) عارضی استعمال کیلیئے اِس میں موجود نہ ہو۔

کنٹرولز سیٹیں، سامان وغیرہ اِس طرح سیٹ ہونا چاہئے کہ ٹیسٹ لینے میں کوئی رکاوٹ نہ ہو۔

اگر اِس میں ڈبل ایکسیلریٹر لگا ہو تو وُہ ٹیسٹ سے پہلے اُتار دینا چاہئے ۔

سیٹ بیلٹ

سیٹ بیلٹ۔ صحیح کام کرتا ہو اور اگر قانون کے مطابق آپ کی گاڑی میں سیٹ بیلٹ ہونا ضروری ہے تو صاف اور اچھی کنڈیشن میں ہو۔ سیٹ بیلٹ باندھنا پڑتا ہے جب تک کہ آپ نے ڈاکٹر سے اجازت نہ لے لی ہو۔

ریورس مینور کرتے وقت سیٹ بیلٹ کھول سکتے ہیں مگر ریورس مینور کرنے کے بعد سیٹ بیلٹ باندھنا نہ بھولیں۔

ہیڈ ریسٹرینٹس

بہت سی نئی گاڑیوں میں ہیڈ ریسٹرینٹس لگے ہوتے ہیں جو ایکسیڈینٹ کے وقت یا کبھی زیادہ زور سے بریک لگانی پڑ جائے تو آپ کی حفاظت کرتے ہیں۔ ٹیسٹ کیلیئے جائیں تو اس کو گاڑی کی سیٹ سے نہ اتاریں۔

لیفٹ ہینڈ ڈرائیو گاڑی

اگر آپ لیفٹ ہینڈ ڈرائیو گاڑی چلا رہے ہیں تو آپ خاص احتیاط برتیں اور گاڑی کے شیشوں کا پورا استعمال کریں۔

ڈرائیونگ ٹیسٹ کے ناقابل گاڑیاں

☆...... گاڑیاں جس میں صاف منظر کیلئے اندر کے شیشے کی بجائے صرف باہر کے شیشوں کو استعمال کرنا پڑتا ہو۔

☆...... صرف ڈرائیور سیٹ والی گاڑیاں۔

☆...... آٹھ سے زیادہ سیٹوں والی گاڑیاں۔

☆...... گاڑیاں جو سامان سے جزوی یا مکمل بھری ہوئی ہوں۔

☆...... گاڑیاں جن کا وزن 3.5 ٹن سے زیادہ ہو۔

☆...... گاڑیاں جس کے ساتھ ٹریلر لگا ہو۔

اگر گاڑی ٹیسٹ کیلئے مناسب نہیں تو آپ کی فیس ضائع ہو جائے گی۔

رشوت

ایگزامینر کو کسی قسم کی رشوت دینے کی کوشش کرنا قانوناً جُرم ہے۔

ڈرائیونگ ٹیسٹ پاس کرنے کے بعد

جب آپ ڈرائیونگ ٹیسٹ پاس کرلیں گے تو آپ

☆...... بغیر L پلیٹ کے گاڑی چلا سکیں گے۔

☆...... بغیر کسی اُستاد یا انسٹرکٹر کے گاڑی چلا سکیں گے۔

☆...... موٹروے پر ڈرائیونگ کر سکیں گے۔

ماہر ڈرائیور بننے کیلئے بہت پریکٹس کی ضرورت ہوتی ہے۔ اِس کیلئے مزید ٹریننگ اور پاس پلس سکیم صفحہ نمبر 64 پر تفصیل سے بتایا گیا ہے۔

سیکشن 2 ڈرائیونگ ٹیسٹ

اس حصہ میں یہ بتایا گیا ہے کے ڈرائیونگ ٹیسٹ کی کیا ضروریات ہیں

موضوعات

☆...... نظر کا ٹیسٹ اور نئی حفاظتی چیکنگ

☆...... تھیوری کے مطابق پر یکٹیکل ڈرائیونگ ٹیسٹ

☆......انجن سٹارٹ کرنے سے پہلے

☆...... گاڑی کے کنٹرولز

☆......دوسرے کنٹرولز

☆...... گاڑی کو چلانا شروع کرنا

☆...... شیشوں کا استعمال

☆...... سگنلز کا استعمال

☆......سائینز اور سگنلز کے مطابق عمل کرنا

☆......سپیڈ پر کنٹرول

☆...... آگے بڑھنا

☆......ایمر جنسی میں گاڑی کھڑی کرنا

☆...... گاڑی کو کورنر سے ریورس کرنا

☆......ریورس پارکنگ

☆......روڈ میں گاڑی کو واپس موڑنا

☆......روکاوٹیں اور صحیح روٹین

☆...... گاڑی کھڑی کرنے کیلئے محفوظ جگہ کا انتخاب کرنا

☆......چوکنا اور ہوشیار۔

نظر کا ٹیسٹ اور نئی حفاظتی چیکنگ

نظر کے ٹیسٹ کیلئے کیا ضروری ہے

آپ نے ایگزامینر کو یہ لازمی تسلی کرانی ہے کہ دن کی روشنی میں آپ گاڑی کی نمبر پلیٹ 79.4mm(3.1 اِنچ) بڑے لیٹر کم از کم 20.5 میٹرز (تقریباً 67feet) کے فاصلہ سے پڑھ سکتے ہیں۔

اگر آپ کو گاڑی کی نمبر پلیٹ پڑھنے کیلئے عینک یا کونٹکٹ لینسز کی ضرورت ہے تو کوئی بات نہیں۔

اگر آپ نے آنکھوں کی کوئی سرجری کرائی ہے تو عارضی لائیسنس کیلئے درخواست کے وقت اسکے بارے میں بتانا چاہئے۔

ایگزامینر آپ کی نظر کیسے ٹیسٹ کرے گا

گاڑی میں بیٹھنے سے پہلے ایگزامینر آپ کو کسی گاڑی کی طرف اشارہ کر کے کہے گا کہ آپ فلاں گاڑی کی نمبر پلیٹ پڑھیں۔

اگر آپ انگلش بول یا پڑھ نہیں سکتے تو جو نظر آئے اُسے لکھ کر بتائیں۔

اگر آپ کا جواب غلط ہوا تو ایگزامینر صحیح فاصلہ ناپ کر دوبارہ ٹیسٹ لے گا۔

اگر آپ نظر کے ٹیسٹ میں فیل ہو گئے

اگر آپ کی نظر ضرورت کے سٹینڈرڈ کے مطابق نہ ہوئی تو

☆...... آپ ڈرائیونگ ٹیسٹ میں فیل سمجھے جائیں گے ☆...... آپ کا مزید کوئی ٹیسٹ نہیں لیا جائے گا۔

اگر آپ عام طور پر عینک یا کونٹکٹ لینسز لگاتے ہیں۔ تو جب بھی ڈرائیونگ کریں ہمیشہ اُن کو پہنیں۔

نئی حفاظتی چیکنگ

نئے ٹیسٹ کے مطابق ایگزامینر گاڑی کا بونٹ کھولنے کو کہے گا اور پوچھے گا کہ بتائیے کہ

گاڑی میں اِنجن تیل ، اِنجن کولنٹ پانی ، واشر پانی ، کلچ اور بریک تیل کہاں ہیں اور کیسے چیک کیا جاتا ہے۔

ٹائیرز کا پریشر اور کنڈیشن صحیح ہونے کا کیسے پتہ چلتا ہے۔

گاڑی کے اندر مندرجہ زیل کے بارے میں بھی پوچھ سکتا ہے

بریک لائیٹس کا کیسے پتہ چلتا ہے کہ کام کرتی ہیں اور باقی تمام لائیٹس کہاں ہیں اور کیسے اِستعمال کی جاتی ہیں۔

ہینڈ بریک کا کیسے پتہ چلتا ہے کہ ٹھیک کام کرتی ہے۔ کیسے پتہ چلتا ہے کے گاڑی میں پاور سٹیرنگ ہے

ہارن کہاں ہے اور کیسے اِستعمال کیا جاتا ہے ۔انڈیکیٹر صحیح کام کرتے ہیں کہ نہیں کیسے پتہ چلتا ہے۔

آپ کیلئے یہ ضروری ہے کہ جس گاڑی کو بھی چلائیں اُس کی دیکھ بھال اور اوپر دی گئی تمام چیزوں کا علم ہو۔

تھیوری کے مطابق پریکٹیکل ڈرائیونگ ٹیسٹ

ٹیسٹ کیلئے کیا ضروری ہے

آپ نے ایگزامینر کو پوری تسلی کرانی ہے کہ جو کُچھ آپ نے تھیوری سے سیکھا ہے اُسے آپ پوری طرح سمجھ چکے ہیں۔

اِس کے مختلف پہلو یہ ہیں

☆...... ہوشیاری اور توجہّ

☆...... خوش اخلاقی اور دوسروں کا خیال

☆...... گاڑی کے کنٹرول کا درست استعمال تاکہ گاڑی میں کوئی خرابی نہ ہو

☆...... ہر طرح کے حالات میں گاڑی کو روکنے کیلئے فاصلہ سے باخبر رہنا

☆...... روکاوٹوں سے باخبر رہنا

☆...... پیدل چلنے والے اور دوسرے روڈ کو استعمال کرنے والے جو کمزور ہیں اُن کا خیال رکھنا

☆...... ہر طرح کی ٹریفک کے ساتھ اچھا برتاؤ کرنا

☆...... سپیڈ کے صحیح استعمال اور گاڑی کھڑی کرنے کی پابندیوں کے اصولوں کا خیال رکھنا۔

☆...... روڈ اور ٹریفک سائینز۔

آپ کیلئے یہ جاننا بھی ضروری ہے

☆...... آپ اور آپ کی گاڑی کے بارے میں قانون

☆...... ایکسیڈینٹ کے وقت کیا کرنا ہے

☆...... گاڑی پر حد سے زیادہ سامان لادنے سے کیا اثر ہوتا ہے

☆...... گاڑیوں کی وجہ سے فضا پر کیا اثر پڑتا ہے۔

ایگزامینر آپ کا ٹیسٹ کیسے لے گا

ایگزامینر آپ کو اتنا وقت دے گا کہ آپ گاڑی میں تسلی سے بیٹھ کر ٹیسٹ دینے کیلئے تیار ہو جائیں۔

اس کے بعد آپ کو کہے گا کہ گاڑی اُس وقت تک چلاتے رہیں جب تک میں آپ کو مُڑنے کیلئے نہ کہوں یا ٹریفک سائن آپ کو ڈرکشن کے بارے میں کُچھ اور نہ بتائے۔

ڈرائیونگ ٹیسٹ کے دوران ایگزامینر یہ چاہے گا کہ تھیوری ٹیسٹ میں جو بھی علم آپ نے حاصل کیا ہے اُسے مدِ نظر رکھ کر پریکٹیکل کریں۔

انجن سٹارٹ کرنے سے پہلے

آپ کا ایگزامینر کیا دیکھنا چاہتا ہے

انجن سٹارٹ کرنے سے پہلے مندرجہ ذیل ضرور چیک کریں کہ

☆...... گاڑی کے تمام دروازے بند ہیں۔

☆...... ڈرائیونگ سیٹ ایڈجسٹ ہے۔

☆...... ہیڈریسٹریئنٹس گاڑی میں لگے ہیں اور ایڈجسٹ ہیں۔

☆...... ڈرائیونگ شیشے مکمل ایڈجسٹ ہیں۔

☆...... سیٹ بیلٹ صحیح باندھا ہوا اور اچھی طرح سے ایڈجسٹ ہے اور آرام دہ ہے اور گود والا بیلٹ اور ڈائیگنل بیلٹ آپ کے جسم کی صحیح حفاظت کر رہے ہیں۔

☆...... ہینڈ بریک لگی ہوئی ہے

☆...... گیئر لیور نیوٹرل ہے یا اگر آپ ایٹومیٹک گاڑی ڈرائیو کرتے ہیں گیئر لیور پی (پارک) یا این (نیوٹرل) ہے۔

جب آپ گاڑی چلانا سیکھ رہے ہوں تو اسے عادت بنالیں۔

غلطیاں جو نہیں کرنی چاہئیں

مندرجہ ذیل غلطیاں نہیں کرنی چاہئیں

☆...... انجن سٹارٹ کرنے کے بعد ضروری چیکنگ کرنا

☆...... جبکہ گاڑی چل رہی ہو تو سیٹ یا شیشوں کو ایڈجسٹ کرنا یہ بہت ہی خطرناک ثابت ہو سکتا ہے

گاڑی کے کنٹرولز

ٹیسٹ کیلیئے کیا ضروری ہے

آپ کو اپنے ایگزامینر کو یہ دکھانا ہے کہ آپ کو گاڑی کے تمام کنٹرولز کی پوری سُوجھ بُوجھ ہے۔

آپ کو انہیں مندرجہ ذیل طریقہ سے استعمال کرنا چاہیئے۔

☆......نرمی سے ☆......حفاظت سے ☆......صحیح طریقہ سے ☆......صحیح وقت پر

اہم کنٹرولز یہ ہیں

☆......ایکسیلریٹر ☆......کلچ ☆......فٹ بریک ☆......ہینڈ بریک یا پارکنگ بریک

☆......سٹیئرنگ ☆......گیئرز

آپ کو

☆......اتنا علم ہونا چاہیئے کہ گاڑی کے یہ کنٹرولز کیا کرتے ہیں

☆......اس قابل ہونا چاہیئے کہ انہیں صحیح طریقہ سے استعمال کر سکیں۔

اگر آپ آٹومیٹک گاڑی چلا رہے ہیں تو

آٹومیٹک گاڑی چلانے سے پہلے تسلّی کر لیں کہ آپ ایسی گاڑی چلانے کے طریقۂ کار سے واقف ہیں۔

ایکسیلریٹر اور کلچ

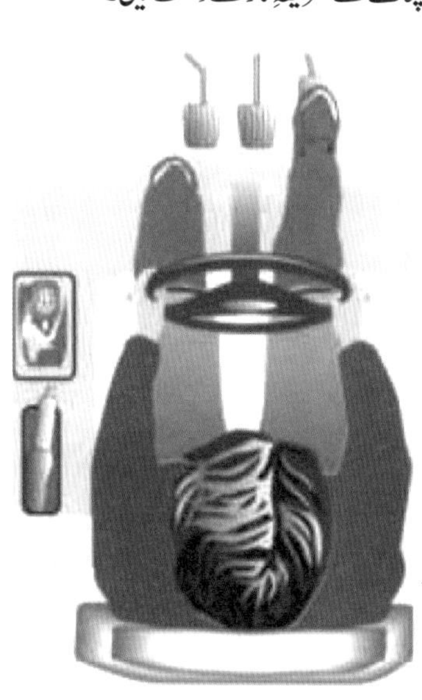

ہنر جو آپ کو دکھانے چاہیئیں

آپ کو چاہیئے کہ

☆......کلچ اور ایکسلریٹر کا توازن رکھ کر گاڑی کو نرمی سے حرکت دیں

☆......رفتہ رفتہ ایکسیلریٹر دے کر سپیڈ زیادہ کریں

☆......جب گاڑی تقریباً کھڑی ہونے والی ہو تو کلچ دبا دیں۔

اگر آپ ایٹومیٹک گاڑی چلا رہے ہوں تو

☆......جب ڈرائیو (D) ڈی کریں تو آپ کا پاؤں فٹ بریک پر ہو

☆......ایکسیلریٹر کو رفتہ رفتہ استعمال کریں تا کہ

-گاڑی بے قابو ہو کر نہ آگے بڑھے اور نہ ہی پیچھے پھسلے

-گیئر تبدیل کرتے وقت کنٹرول میں رہے

جن غلطیوں سے بچنا چاہئیے

آپ کو نہیں چاہئیے کہ

☆......ایکسیلریٹر اتنا زور سے دبائیں کہ ٹائرز سے رگڑ کی آواز آئے۔اس سے گاڑی بے قابو ہو سکتی ہے اور روڈ استعمال کرنے والے دوسرے لوگوں کی توجہ اِدھر اُدھر ہو سکتی ہے۔

☆......گاڑی کو حرکت میں لاتے یا گئیر تبدیل کرتے وقت کلچ کو جھٹکا دینا

اگر آپ ایٹومیٹک گاڑی ڈرائیو کر رہے ہیں تو ایکسیلریٹر کو بہت سخت دھچکا دے کر آگے نہیں بڑھانا چاہئیے۔

فٹ بریک ، ہینڈ بریک اور گئیرز

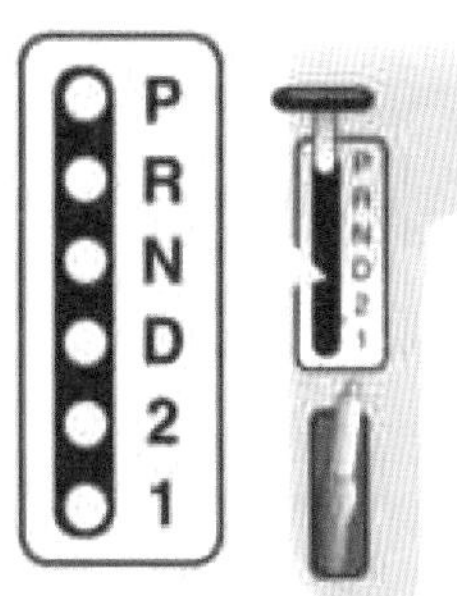

ہنر جو دکھانے چاہئیں

فٹ بریک

آپ کو چاہئیے بریک کا استعمال کریں

☆......نرمی سے اور صحیح وقت پر ☆......زیادہ تر حالات میں ہلکی سی

ہینڈ بریک

آپ کو یہ جاننا چاہئیے کہ ہینڈ بریک کو کیسے اور کب استعمال کرنا ہے۔

گئیرز

آپ کو چاہئیے کہ

☆......روڈ کی کنڈیشن اور سپیڈ کے مطابق مناسب گئیر کا انتخاب کریں۔

☆......گئیر صحیح وقت پر استعمال کریں تاکہ جنکشن اور خطرے کیلئے تیار رہیں۔

اگر ایٹومٹک گاڑی چلا رہے ہیں تو ڈھلوان پر جاتے وقت چھوٹے گئیر کا انتخاب کریں۔

غلطیاں جو نہیں کرنی چاہئیں

فٹ بریک..... آپ کو

☆......فٹ بریک کو سوائے ایمرجنسی کے سختی سے استعمال نہیں کرنا چاہئیے ۔

ہینڈ بریک...... آپ کو

☆......ہینڈ بریک گاڑی کھڑی ہونے سے پہلے استعمال نہیں کرنی چاہئیے۔

☆......ہینڈ بریک آن رکھ کر گاڑی کو حرکت نہیں دینا چاہئیے۔

گیئر ز

آپ کو

☆......روڈ سے نظر ہٹا کر گیئر لیور کو دیکھ کر گیئر نہیں لگانا چاہیئے

☆......کلچ دبائے رکھنا یا گیئر لیور نیوٹرل میں کوئسٹ نہیں کرنا چاہیئے۔

سٹئیر نگ ویل

سٹئیر نگ کے استعمال میں ہنر جو آپ کو دکھانے چاہئیں

آپ کو

☆......سٹئیر نگ ویل پر دونوں ہاتھ گھڑی کے نمبر 10اور 2 کی جگہ یا"کواٹر ٹو تھری"کی جگہ رکھے ہوں۔
جہاں بھی جگہ آرام دہ محسوس کریں۔

☆......سٹئیر نگ ویل مضبوط اور لچکدار طریقے سے گھمائیں

☆......جب بھی کونے سے مڑنا ہو تو سٹئیر نگ کا استعمال صحیح
وقت پر شروع کریں۔

غلطیاں جو نہیں کرنی چاہئیں

گاڑی کو کورنر پر موڑتے وقت سٹئیر نگ کو بہت پہلے ہی پھیرنا نہ شروع کر دیں۔

اگر آپ ایسا کرینگے تو آپ خطرہ مول لیں گے۔

☆......رائیٹ موڑتے وقت کورنر کاٹنے سے دوسرے ڈرائیوروں کو خطرے میں ڈال سکتے ہیں

☆......لیفٹ موڑتے وقت کونے پر کرب کے ساتھ ٹائرز کو رگڑنا سٹئیر نگ کو لیٹ موڑنے سے آپ دوسرے
ڈرائیوروں کو خطرے میں ڈال سکتے ہیں۔

☆......لیفٹ موڑتے وقت زیادہ دُور سے مُڑ کر

☆......رائیٹ موڑتے وقت بہت آگے سے مُڑ کر

ایسا بھی نہیں کرنا چاہیئے

☆......سٹئیر نگ ویل پر اپنے ہاتھوں کو کراس کرنا

☆......موڑنے کے بعد سٹئیر نگ کو واپس مُڑنے کیلئے چھوڑ دینا

☆......گاڑی کے دروازے پر آرام کیلئے اپنے بازوؤں کی ٹیک لگانا۔

دوسرے کنٹرولز

ٹیسٹ کیلئے کیا ضروری ہے

آپ کو پورا علم ہونا چاہیئے۔

☆......روڈ پر حفاظت کے طور پر استعمال ہونے والے تمام کنٹرولزاور سوئچز کا کام

- انڈیکیٹرز - لائیٹس - ونڈسکرین وائپرز - ڈیمسٹرز - ہیٹر

جو گاڑی بھی آپ چلا رہے ہیں تو آپ کو معلوم ہونا چاہیۓ کہ اُسکے تمام کنٹرولز کہاں ہیں اور اُن کو کیسے استعمال کیا جاتا ہے۔

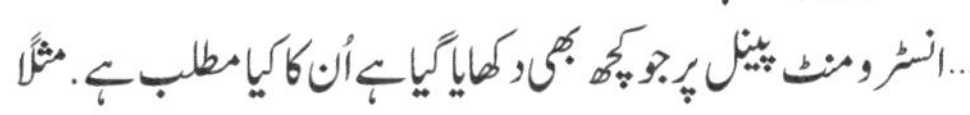

☆......انسٹرومنٹ پینل پر جو کچھ بھی دکھایا گیا ہے اُن کا کیا مطلب ہے. مثلاً

-سپیڈومیٹر

- مختلف قسم کی وارننگ لائیٹس

حفاظتی چیک

آپ کو روٹین حفاظتی چیک کرنے کے قابل ہونا چاہیۓ۔

جیسے کہ

☆...... تیل اور کولینٹ لیول ☆......ٹائر پریشرز

اِس کے علاوہ مندرجہ ذیل میں کوئی خرابی ہو تو معلوم کرسکیں

☆......سٹیئرنگ ☆......بریکز

☆......ٹائرز ☆......سیٹ بیلٹ

☆......لائیٹس ☆......ریفلکٹرز

☆......ہارن ☆......پیچھے ٹریفک دیکھنے کا شیشہ

☆......سپیڈومیٹر ☆......ایگزوسٹ سسٹم ☆......ڈرکشن انڈیکیٹر

☆......ونڈسکرین وائیپرز اور واشرز

آپ کو یہ بھی پتہ ہونا چاہیۓ کہ زیادہ وزن رکھنے سے آپ کی گاڑی پر کیا اثر پڑتا ہے

ایسا وزن

☆......رُوف ریک اور سامان

☆......زیادہ سواریاں

گاڑی کو چلانا شروع کرنا

ٹیسٹ کیلئے کیا ضروری ہے

آپ کو مندرجہ ذیل طریقہ سے گاڑی کو حرکت دینے کے قابل ہونا چاہئیے۔

☆...... حفاظت سے ☆...... پورے کنٹرول سے ☆...... فلیٹ روڈ پر

☆...... پہاڑی ایریا پر (چڑھائی یا ڈھلوان) ☆...... پارک گاڑی کے پیچھے سے نکالنا

ایگزامینر آپ کا ٹیسٹ کیسے لے گا

ایگزامینر آپ کو دیکھے گا کہ

☆...... آپ ہر دفعہ گاڑی کو حرکت دیتے وقت کنٹرول کو کیسے استعمال کرتی / کرتے ہیں

☆...... دوسرے روڈ کو استعمال کرنے والوں کا کتنا خیال رکھتے ہیں۔

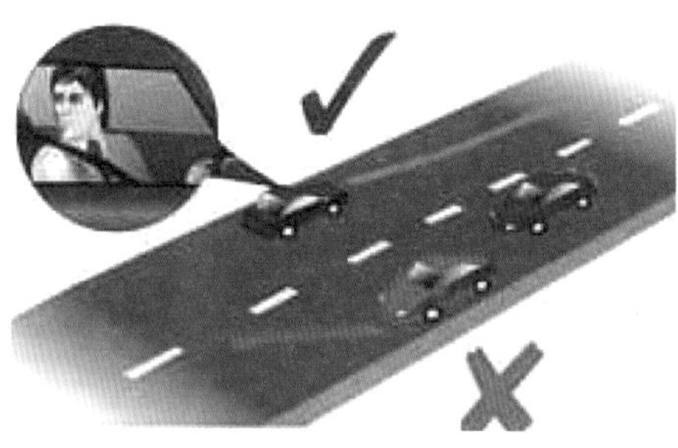

ہنر جو آپ کو دکھانے چاہئیں

شیشوں کو استعمال کریں اور اگر ضروری ہو تو سگنل دیں گاڑی کو حرکت دینے سے پہلے کندھے سے مڑ کر پوشیدہ ایریا دیکھیں جو شیشوں میں نظر نہیں آتا چیک کریں۔

☆...... ٹریفک ☆...... پیدل چلنے والے۔

حرکت دیتے وقت گاڑی کنٹرول میں اور صحیح توازن رکھیں۔

☆...... ایکسیلریٹر ☆...... کلچ ☆...... بریکز ☆...... سٹئیرنگ

اور یہ بھی تسلی کریں کہ گاڑی کو حرکت دیتے وقت مناسب گئیر میں ہونا چاہئے۔

غلطیاں جو نہیں کرنی چاہئیں

آپ کو ہرگز نہیں کرنا چاہئیے

☆...... سب طرف چیک کئے بغیر فوراً سگنل دے دینا

☆...... سب طرف چیک کئے بغیر گاڑی کو حرکت دے دینا

☆...... دوسرے روڈ کو استعمال کرنے والوں کو روک دینا یا اُن کی ڈرائیونگ میں دخل اندازی کرنا

☆...... حد سے زیادہ گیس دینا

☆...... گاڑی کو بڑے گئیر میں ڈالنا ☆...... تمام کنٹرول کو صحیح اور برابر استعمال نہ کرکے انجن کو سٹال کر دینا۔

شیشوں کا استعمال

ٹیسٹ کیلئے کیا ضروری ہے

آپ کو تسلی کر لینی چاہیئے کہ آپ نے شیشوں کو صحیح استعمال کر لیا ہے۔

☆......کسی بھی مینور سے پہلے ☆......ہر وقت پچھلی ٹریفک سے باخبر ہو کر

مندرجہ ذیل کرنے سے پہلے آپ شیشوں میں احتیاط کیلئے دیکھیں

☆......حرکت دینا ☆......سگنل دینا ☆......ڈرکشن تبدیل کرنا ☆......لیفٹ یا رائیٹ مُڑنا

☆......اوورٹیک کرنا یا لین تبدیل کرنا ☆......سپیڈ زیادہ کرنا ☆......آہستہ ہونا یا رکنا

☆......گاڑی کا دروازہ کھولنا

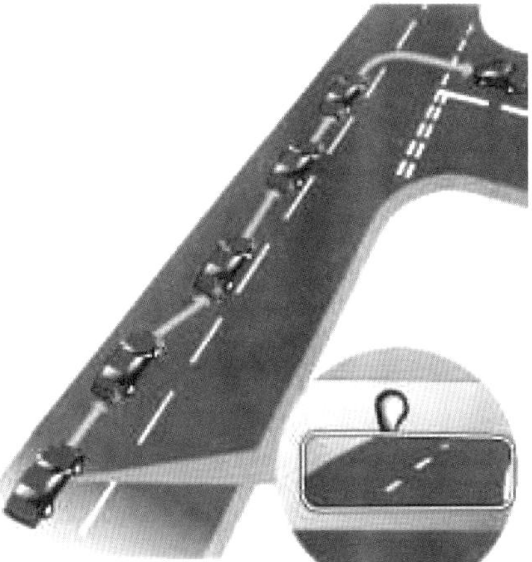

ایگزامینر آپ کا ٹیسٹ کیسے لے گا

شیشوں کے بارے میں ڈرائیونگ کے دوران کوئی خاص مشق نہیں ہے ۔ایگزامینر آپ پر نظر رکھے گا کہ آپ شیشوں کا استعمال کب اور کیسے کرتے ہیں۔

ہنر جو آپ کو دکھانے چاہئیں

شیشے سگنل اور مینور (M S M) روٹین کا صحیح استعمال صفحہ نمبر 42 پر تفصیل سے بتایا گیا ہے۔

آپ کو

☆......سگنل سے پہلے شیشوں میں دیکھنا چاہیئے۔

☆......پہلے شیشوں میں دیکھیں اور عمل سے پہلے سگنل دیں

☆......شیشوں میں دیکھ کر سوچ سمجھ کر حفاظت سے عمل کریں

آپ کو خبردار رہنا چاہئے کہ شیشے آپ کو پیچھے کی ہر ایک چیز نہیں دکھاتے۔

غلطیاں جو نہیں کرنی چاہئیں

آپ کو

☆......بغیر شیشوں میں دیکھے مینور (کوئی بھی عمل) نہیں کرنا چاہیئے

☆......شیشوں میں دیکھ کر جو کُچھ نظر آئے اُس پر عمل نہ کرنا (صرف دیکھنا ہی کافی نہیں جو دیکھیں اُس پر عمل کریں)۔

سگنلز کا استعمال

ٹیسٹ کیلئے کیا ضروری ہے

سگنل استعمال کریں

☆......دوسرے روڈ کو استعمال کرنے والوں کو سمجھانے کیلئے کہ آپ کا کیا کرنے کا ارادہ ہے

☆......دوسرے روڈ کو استعمال کرنے والے اور پیدل چلنے والوں کی مدد کرنے کیلئے ۔

☆......وقت سے بہت پہلے

سگنل کا استعمال صرف اسی طرح کریں جیسے کہ ہائی وے کوڈ میں بتایا گیا ہے

آپ کے سگنل سے روڈ کے استعمال کرنے والوں کو مدد ملنی چاہئیے

☆......اُن کو اچھی طرح سمجھ آئے کہ آپ کے سگنل دینے کا مقصد کیا ہے

☆......تا کہ وُہ بھی ردِ عمل محفوظ طریقہ سے کریں۔

ہمیشہ یہ تسلی کرلیں کہ آپ نے سگنل استعمال کرنے کے بعد کینسل کر دیا ہے۔

ایگزامینر آپ کا ٹیسٹ کیسے لے گا

سگنل کے ٹیسٹ کا کوئی خاص طریقہ نہیں ایگزامینر آپ پر نظر رکھے گا کہ آپ سگنل کیسے استعمال کرتی / کرتے ہیں۔

ہنر جو آپ کو دکھانے چاہئیں

سگنل دیں

☆...... صحیح

☆......اور صحیح وقت پر

آپ کو ہاتھوں سے سگنل دینے کا بھی پتہ ہونا چاہئیے اور یہ بھی معلوم ہونا چاہئیے کہ ان کا دینا کب ضروری ہے۔

غلطیاں جو نہیں کرنی چاہئیں

نہیں کرنا چاہئیے۔

☆......بغیر سوچے سمجھے یا لا پرواہی سے سگنل دینا

☆......دوسرے روڈ استعمال کرنے والوں کو غلط فہمی میں ڈالنا

☆...... سگنل دینے کے بعد آف کرنا بھول جانا

☆......پیدل چلنے والوں کو روڈ کراس کرنے کیلئے اشارہ کرنا

سائینز اور سگنلز کے مطابق عمل کرنا

ٹیسٹ کیلئے کیا ضروری ہے

آپ کو سمجھنا چاہئیے

☆...... تمام ٹریفک سائینز

☆...... تمام روڈ مارکنگز

ان پر صیحح وقت پر عمل کریں

ٹیسٹ کے شروع میں آپ کا ایگزامینر آپ کو کہے گا کہ گاڑی چلانا شروع کریں۔

جنکشن پر سے مُوڑنے کا کہے گا ۔ لیکن آپ لین مارکنگ اور ڈرکشن سائینز پر نظر رکھیں تا کہ اُن پر عمل بھی کر سکیں۔

ٹریفک لائیٹس

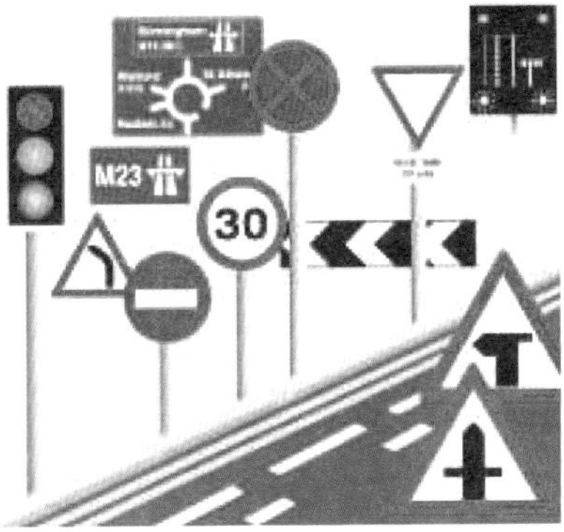

آپ کیلئے ٹریفک لائیٹس پر صیحح عمل کرنا ضروری ہے۔

جب سبز لائیٹ آن ہو تو دیکھیں کہ روڈ صاف ہے ۔

بااختیار لوگوں کے سگنلز

اِن لوگوں کے سگنلز پر عمل کریں

☆...... پولیس آفیسرز

☆...... ٹریفک وارڈنز

☆...... سکول کراسنگ پیٹرولز

ٹریفک کو آہستہ کرنے کے اقدامات

ایسے روڈز پر زیادہ احتیاط کریں جہاں ٹریفک کو آہستہ کرنے کیلئے مندرجہ ذیل اقدامات کئے گئے ہیں۔

☆...... 20 میل فی گھنٹہ سپیڈ کا ایریا

☆...... سپیڈ پر کنٹرول کیلئے ہمپز

☆...... روڈ کی چوڑائی کو کم کرنے کیلئے جہاں بولرڈز ، پوسٹس اور پختہ جگہیں ہوں۔

سپیڈ پر کنٹرول

ٹیسٹ کیلئے کیا ضروری ہے

مندرجہ ذیل کو مد نظر رکھ کر روڈ پر آگے بڑھنا چاہیئے

☆......روڈ کنڈیشن ☆......ٹریفک کنڈیشن ☆...... موسم ☆......روڈ سائین اور سپیڈ کی حد

آپ کا ایگزامینر کیسے ٹیسٹ لے گا

اس کیلئے کوئی خاص مشق نہیں۔ ایگزامینر دیکھے گا کہ آپ ڈرائیونگ کے دوران گاڑی کی سپیڈ کس طرح کنٹرول کرتے ہیں۔

ہنر جو آپ کو دکھانے چاہئیں

آپ کو

☆......سپیڈ کیلئے بہت ہی احتیاط کرنی چاہیے

☆......یہ تسلی ہو کہ جتنا دُور تک صاف دکھائی دے رہا ہے اُس فاصلہ کے اندر گاڑی محفوظ کھڑی کر سکتی / سکتے ہیں۔

☆......اپنی گاڑی اور آگے والی گاڑی کے درمیان محفوظ فاصلہ رکھیں۔

☆......گیلے اور پھسلنے والے روڈ پر اور زیادہ فاصلہ رکھیں۔

☆......جنکشن اور روکاوٹوں پر صحیح سپیڈ سے پہنچیں۔

غلطیاں جو نہیں کرنی چاہئیں

آپ کو نہیں چاہیئے کہ

☆......روڈ اور ٹریفک کنڈیشن کے لحاظ سے گاڑی بہت تیز چلائیں

☆......گاڑی کی سپیڈ بغیر سوچے سمجھے تبدیل کریں۔

آگے بڑھنا

ٹیسٹ کیلئے کیا ضروری ہے

آپ کو چاہئیے کہ

☆......روڈ پر مناسب رفتار سے آگے بڑھتے جائیں۔

☆......ایسی سپیڈ میں ڈرائیو کریں جو روڈ اور ٹریفک کنڈیشن کے مطابق ہو

☆......جنکشن پر محفوظ ہوتے ہی جلدی سے گاڑی کو نکال لیں۔

ایگزامینر آپ کا ٹیسٹ کیسے لے گا

اس کیلئے کوئی خاص مشق نہیں ہے ایگزامینر آپ کی ڈرائیونگ پر نظر رکھے گا اور دیکھے گا کہ آپ

☆......روڈ پر گاڑی کی رفتار میں مناسب اضافہ کررہے ہیں

☆......ٹریفک کے مطابق چل رہے ہیں۔

☆......پورے اعتماد سے گاڑی چلا رہے ہیں اور وقت پر صحیح فیصلے کررہے ہیں۔

☆......سپیڈ کی حد کی پابندی کررہے ہیں۔

ہنر جو آپ کو دکھانے چاہئیں

آپ کو صحیح سپیڈ رکھنے کے قابل ہونا چاہئیے

☆......روڈ کی حالت کے مطابق

☆......ٹریفک کی قسم اور حجم کے مطابق

☆......موسم کے مطابق اور روڈ پر صاف نظر آنے کے مطابق

آپ کو ہمیشہ روکاوٹ پر محفوظ سپیڈ سے پہنچنا چاہئیے۔

غلطیاں جو نہیں کرنی چاہئیں

آپ کو نہیں چاہئیے کہ

☆......گاڑی اتنی آہستہ چلائیں کہ دوسری ٹریفک رُک جائے

☆......جنکشن پر حد سے زیادہ احتیاط کریں رکے رہیں اور انتظار کرتے رہیں جب کہ جانا محفوظ ہو۔

☆......جنکشن پر پہنچنے سے بہت پہلے گاڑی کو حد سے زیادہ آہستہ کرلیں اور دوسری ٹریفک کو بھی روکے رکھیں۔

ایمر جنسی میں گاڑی کھڑی کرنا

ٹیسٹ کیلیئے کیا ضروری ہے

ایمر جنسی کے وقت آپ کو گاڑی روکنی چاہیئے

☆...... جتنا جلدی ممکن ہو ☆...... حفاظت سے اور پورے کنٹرول میں ☆...... پہیوں کو بغیر لاک کیئے

ایگزامینر آپ کا ٹیسٹ کیسے لے گا

آپ کا ایگزامینر شاید۔

☆...... آپ کو روڈ کی سائیڈ پر گاڑی کھڑی کرنے کو کہے

☆...... آپ کو ایمر جنسی میں گاڑی رکنے کا کہے جب کہ آپ نے سگنل دیا ہو

☆...... آپ کو پہلے ہی سگنل کے بارے میں سمجھادے۔

جب آپ کا ایگزامینر آپ کو سگنل دے تو کوشش کریں کہ گاڑی کو ایسے روکیں جیسے صحیح ایمر جنسی میں گاڑی کو روکنا چاہیئے۔

☆...... آپ کو یہ عمل بہت ہی جلدی کرنا چاہیئے

☆...... گاڑی سیدھی لائن میں روکنے کی کوشش کریں

☆...... اگر روڈ گیلا ہو تو خاص احتیاط کریں۔

ایگزامینر آپ کو ایمر جنسی سٹاپ کیلیئے سگنل دینے سے پہلے خود تسلی کرلے گا کہ پیچھے روڈ خالی ہے

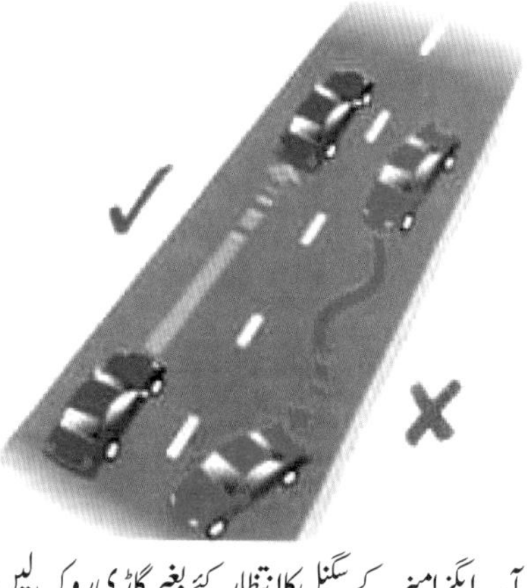

ہنر جو آپ کو دکھانے چاہئیں

آپ کو چاہیئے کہ گاڑی کھڑی کریں

☆...... کم سے کم فاصلہ میں

☆...... پورے کنٹرول میں

☆...... دوسرے روڈ کو استعمال کرنے والوں کو خطرے میں ڈالے بغیر

غلطیاں جو نہیں کرنی چاہئیں

آپ کو نہیں چاہیئے

☆...... جب کہ ایگزامینر پیچھے کی ٹریفک چیک کر رہا ہو اور آپ ایگزامینر کے سگنل کا انتظار کیئے بغیر گاڑی روک لیں

☆...... گاڑی کو کنٹرول میں نہ رکھیں اور سکیڈ کر دیں ☆...... گاڑی کو صحیح روڈ سے اُتر جانے دیں۔

گاڑی کو کورنر سے ریورس کرنا

ٹیسٹ میں کیا ضروری ہے

آپ کو اپنی گاڑی ریورس کرنے کے قابل ہونا چاہیئے

☆......نرمی سے

☆...... صحیح طریقہ سے

☆......حفاظت سے

☆......پورے کنٹرول سے۔

ایگزامینر آپ کا ٹیسٹ کیسے لے گا

آپ کا ایگزامینر عام طور پر۔

☆......کسی سائیڈ روڈ سے پہلے لیفٹ پر گاڑی کھڑی کرنے کیلیئے کہے گا

☆......سائیڈ روڈ کی طرف اشارہ کرے گا اور کہے گا کہ گاڑی روڈ کے اندر ریورس کریں۔

ریورس کرنے میں اگر سیٹ بیلٹ سے آپ مشکل محسوس کریں تو سیٹ بیلٹ کھول دیں مگر جب آپ ریورس مکمل کرلیں تو سیٹ بیلٹ دوبارہ باندھنا نہ بھولیں۔

اگر پیچھے منظر صاف نہیں (مثلاً وین میں) تو آپ کا ایگزامینر آپکو رائیٹ سائیڈ کی طرف روڈ پر ریورس کرنے کو کہے گا۔

جب ایگزامینر آپ کو ریورس کرنے کو کہے تو

☆......اس بات کی تسلی کرلیں کہ کورنر پر ریورس صحیح طریقہ اور حفاظت سے کر سکیں

☆......ٹریفک اور روڈ کنڈیشن کو ہر طرف اچھی طرح چیک کرلیں

☆......کورنر کے گرد ریورس کریں تو ٹریفک یا پیدل چلنے والوں کو بہت اچھی طرح چیک کر کے

☆......اپنی گاڑی کو سیدھا کر کے ایک مناسب فاصلہ تک ریورس میں لے جائیں

☆...... محفوظ پوزیشن میں گاڑی کھڑی کریں اور ایگزامینر کی اگلی ڈرکشن کا انتظار کریں۔

جب آپ گاڑی کورنر کے گرد ریورس میں موڑتے ہیں تو گاڑی کا اگلا حصہ باہر کی جانب نکل جائے گا تو اس وقت دوسرے روڈ استعمال کرنے والوں کو اچھی طرح دیکھیں۔

ہنر جو آپ کو دکھانے چاہئیں

آپ کو چاہئیے کہ

☆...... گاڑی کو پورے کنٹرول میں رکھ کر ریورس کریں

☆...... گاڑی کرب کے نزدیک رکھیں اِس طرح کہ نہ گاڑی فٹ پاتھ پر چڑھے اور نہ ہی اِس سے ٹکرائے

☆...... چاروں طرف اچھی طرح اور مکمل دھیان ہو۔

غلطیاں جو نہیں کرنی چاہئیں

آپ کو نہیں چاہئیے

☆...... گاڑی کرب پر چڑھانا

☆...... باہر کی طرف بہت زیادہ لے جانا

☆...... کرب کے بہت دُور سے ریورس کرنا

☆...... روڈ استعمال کرنے والے دوسروں کو نظرانداز کرنا

☆...... کورنر ریورس کرتے وقت ضرورت سے زیادہ وقت لگانا اور دوسرے روڈ استعمال کرنے والوں کیلئے خطرے پیدا کرنا

☆...... کھڑی حالت میں گاڑی کا سٹئیرنگ سختی سے (خشک سٹئیرنگ) گھمانا ۔

ریورس پارکنگ

ٹیسٹ کیلئے کیا ضروری ہے

آپ کو چاہئیے کہ اپنی گاڑی کو حفاظت سے پارک کر سکیں کرب کے ساتھ (ریورس کر کے تقریباً دو گاڑیوں کی جگہ میں) یا روڈ سے ہٹ کر پارکنگ کی جگہ میں۔

ایگزامینر آپ کا ٹیسٹ کیسے لے گا

پارک گاڑی کے پیچھے کرب کے متوازی پارک کرنا۔

جب ایگزامینر آپ کو پارکنگ کے بارے میں سمجھائے تو اس کے بعد آپ کو چاہئیے کہ

☆......پارک گاڑی کے سائیڈ پر اپنی گاڑی کو ڈرائیو کر کے ایسی پوزیشن میں کھڑی کریں کہ پارکنگ حفاظت اور صحیح طریقہ سے کر سکیں۔

☆......ریورس گئیر لگائیں-ریورسنگ کی لائیٹ سے دوسروں کو آپ کے ارادہ کو سمجھنے میں مدد مل سکتی ہے۔

☆......سب طرف اچھی طرح دھیان اور توجہ دیں

☆......پارک گاڑی کے پیچھے زیادہ سے زیادہ دو گاڑیوں کی جگہ میں ریورس کریں۔

☆......ضرورت کے مطابق کرب کے نزدیک اور متوازی کھڑی کریں۔

ٹریفک اور پیدل چلنے والوں پر تمام وقت پورا دھیان رکھیں

کار پارک میں پارکنگ

مقررہ جگہ میں ریورس کر کے پارک کرنا

آپ کو چاہئیے کہ

☆......پارکنگ کیلئے مارکنگ کے درمیان جو جگہ خالی ہے اُس کو دیکھیں

☆......اگر ضروری ہو تو سگنل اور شیشوں کو استعمال کریں

☆......گاڑی کی پوزیشن کو چیک کریں اور سپیڈ بہت ہی کم رکھیں

☆......سب طرف اچھی طرح چیک کریں

☆......پیدل چلنے والوں کو بھی دیکھیں

☆......ریورس کر کے جتنا بھی ہو سکے بہت ہی صفائی سے پارک کریں پہیے بالکل سیدھے ہوں

☆......یہ یقین کرلیں کہ آپ کی گاڑی لائینوں کے درمیان اور صحیح جگہ میں صفائی سے پارک ہو۔

ہنر جو آپ کو دکھانے چاہئیں

آپ کو چاہئیے کہ

☆......گاڑی پورے کنٹرول میں آہستہ آہستہ اور حفاظت سے ریورس کریں

☆......سب طرف پورا دھیان دیں

☆......دوسرے روڈ کو استعمال کرنے والوں کا پورا خیال رکھیں۔

غلطیاں جو نہیں کرنی چاہئیں

آپ کو چاہئیے کہ

☆......پارک گاڑیوں کے یا مارکنگ کے بہت نزدیک نہ جائیں

☆......کرب کے اوپر نہ چڑھائیں

☆......گاڑی بالکل ٹیڑھی نہ کھڑی کریں

☆......گاڑی ایک زاویہ پر ، کرب سے دُور یا پارک کی حدود سے باہر نہ پارک کریں

☆......صرف اندر اور باہر کے شیشوں کے سہارے پارک نہ کریں۔ شیشوں کے علاوہ چاروں طرف دھیان دیں

☆......دوسرے روڈ کو استعمال کرنے والوں کا خیال رکھیں اُن کیلئے خطرہ نہ بنیں

☆......پارکنگ کیلئے ضرورت سے زیادہ وقت لگانا اس سے دوسروں کیلئے رکاوٹ پیدا ہو سکتی ہے

☆......کھڑی گاڑی کا سٹئیرنگ سختی سے نہ گھمائیں۔

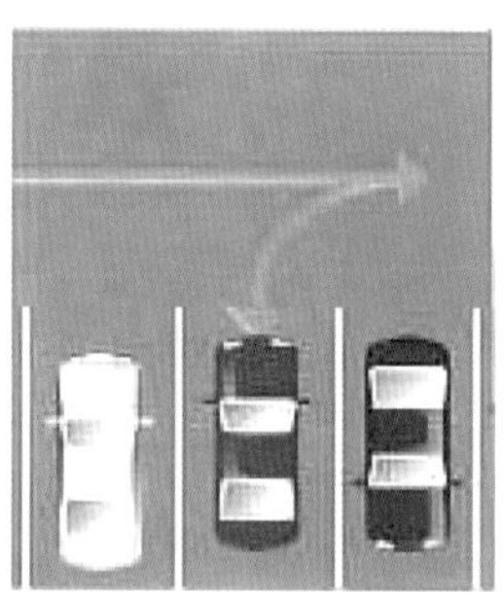

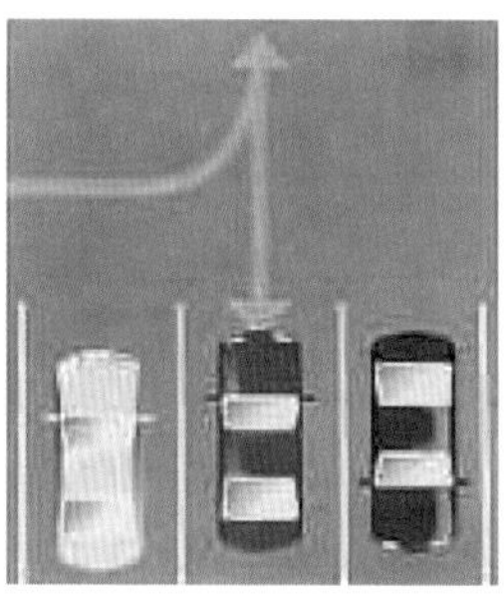

روڈ میں گاڑی کو واپس موڑنا

ٹیسٹ کیلئے کیا ضروری ہے

آپ کو اپنی گاڑی روڈ میں واپس موڑنے کے قابل ہونا چاہئے

☆...... تا کہ یہ مخالف سمت میں سامنے نظر آئے

☆...... پہلا اور ریورس گیئرز استعمال کر کے گاڑی کو موڑیں۔

یہ تقریباً کم سے کم تھری پوئنٹ میں مُڑ جائے ۔

ایگزامینر آپ کا ٹیسٹ کیسے لے گا

ایگزامینر آپ کو

☆...... کسی مناسب جگہ پر گاڑی کھڑی کرنے کو کہے گا

☆...... کہے گا کہ گاڑی کو اس روڈ میں واپس موڑ کر لے جاؤ۔

آپ کو چاہئے کہ

☆...... تسلی کر لیں کہ روڈ دونوں طرف سے صاف ہے

☆...... گاڑی کو پہلے گیئر میں چلائیں ، سٹئیرنگ کو جتنا بھی ممکن ہو رائیٹ کی طرف گھمائیں

☆...... گاڑی مخالف طرف کرب کے قریب پہنچنے سے پہلے سٹئیرنگ کو لیفٹ کی طرف تیزی سے گھمائیں

☆...... چاروں طرف اچھی طرح دیکھ لیں خاص کر پوشیدہ ایریا میں

☆...... ریورس کرتے سٹئیرنگ کو جتنا ممکن ہو لیفٹ کی طرف گھمائیں

☆...... جیسے ہی گاڑی پیچھے کرب کے قریب پہنچ جائے تیزی سے سٹئیرنگ کو رائیٹ کی طرف گھمائیں

☆...... اگر ضروری ہو تو اسی عمل کو دہرائیں یہاں تک کہ آپ کی گاڑی مخالف سمت میں متوازی ہو جائے۔

ہنر جو آپ کو دکھانے چاہئیں

آپ کو گاڑی پورے کنٹرول میں رکھنی چاہئے اور مندرجہ ذیل کو صحیح اور نرمی سے استعمال کریں

☆......ایکسیلریٹر

☆......کلچ

☆......فٹ بریک

☆...... ہینڈ بریک

☆......سٹئیرنگ

☆......گیئرز

لوگ جو روڈ کو استعمال کر رہے ہوں اُن کا پورا خیال رکھیں اور اس عمل کرنے کے دوران سب طرف دھیان رکھنا بہت ہی ضروری ہے۔

غلطیاں جو آپ کو نہیں کرنی چاہئیں

آپ کو نہیں چاہئیے کہ

☆......گاڑی کو کرب یا فٹ پاتھ کے اوپر چڑھائیں (بلکہ کرب کو چھوئیں تک نہ)

☆......دوسرے روڈ استعمال کرنے والوں کی پرواہ نہ کریں یا اُن کیلئے خطرہ بنیں

☆......اس عمل کو مکمل کرنے میں ضرورت سے زیادہ وقت نہ لگائیں جس سے دوسرے روڈ استعمال کرنے والوں کے راستہ میں روکاوٹ ہو

☆......جب گاڑی کھڑی ہو تو سٹیئرنگ کو سختی سے (خشک سٹیئرنگ) نہ گھمائیں۔

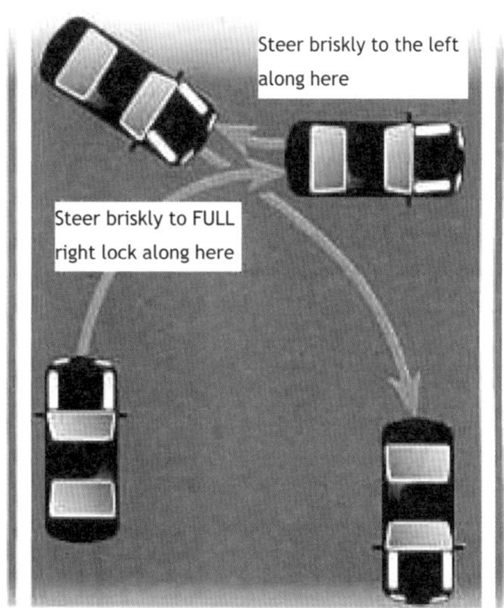

روکاوٹیں اور صحیح روٹین

روکاوٹ سے کیامراد ہے ؟

روکاوٹ سے مراد ایسے حالات ہیں جن کی وجہ سے سپیڈ یا راستہ میں کوئی تبدیلی کرنی پڑ جائے۔

روڈ پر دُور تک دھیان رکھیں جہاں کہیں ہوں

☆......جنکشنز یا راؤنڈ آباؤٹ ☆......پارک گاڑیاں

☆......سائیکل سوار یا گھوڑ سوار ☆......پیدل چلنے والوں کے کراسنگز

روکاوٹوں کی جلد سے جلد پیشگی معلومات سے آپ کے پاس اتنا وقت ہو گا کہ آپ مناسب عمل کر سکیں۔

ہو سکتا ہے آپ کو ایک ہی بار تھوڑے سے وقت میں بہت ساری روکاوٹوں سے واسطہ پڑ جائے ۔ اس سے یہ بھی مطلب ہو سکتا ہے کہ آپ سوجھ بوجھ اور پیشگی عمل کر کے مخصوص حالات سے مقابلہ کرنے کیلئے بہت پہلے ہی تیار ہو جائیں۔

ٹیسٹ کیلئے کیا ضروری ہے

شیشے سگنل مینور (ایم ایس ایم روٹین)

جب بھی آپ کسی روکاوٹ کے نزدیک پہنچیں یا کوئی خطرہ نظر آئے تو ہمیشہ یہ روٹین استعمال کریں۔

ایم (شیشے)

ٹریفک کی پوزیشن کو سب طرف اور پیچھے کی طرف چیک کریں

ایس (سگنل)

اپنے راستے میں کوئی تبدیلی کرنے یا آہستہ ہونے پر سگنل کا استعمال صحیح وقت پر کریں۔

ایم (مینور)

مینور کا مطلب سپیڈ یا پوزیشن میں کوئی تبدیلی کرنا یعنی گاڑی کو آہستہ کرنا یا کھڑی کرنا یا کسی دوسری سڑک پر لے جانا۔

روکاوٹیں۔ روڈ جنکشنز اور راؤنڈ آباؤٹس

ٹیسٹ کیلئے کیا ضروری ہے

آپ کو چاہیئے کہ

☆......جب بھی جنکشن یا راؤنڈ آباؤٹ آئے تو ایم ایس ایم روٹین کو استعمال کریں

☆......گاڑی کی پوزیشن صحیح کرلیں سپیڈ کو ایڈ جسٹ کرلیں اور اگر ضروری سمجھیں تو کھڑی کرلیں

☆......اگر روڈ پر لین مارکنگ ہیں تو وقت پر صحیح لین میں شامل ہو جائیں۔ ون وے سٹریٹ میں جلد سے جلد اور حفاظت سے صحیح لین کا انتخاب کریں۔

اگر روڈ پر لین مارکنگ نہیں ہیں اور آپ لیفٹ ٹرن کرنا چاہتے ہیں تو گاڑی کو لیفٹ سائیڈ پر رکھیں اور مندرجہ ذیل کا خیال رکھیں

☆......موٹر سائیکل سوار ☆......سائیکل سوار ☆......پیدل چلنے والے جو کراس کر رہے ہیں۔

جب رائیٹ کی طرف مُڑنا ہو تو

☆......گاڑی کو حفاظت سے روڈ کے درمیان لائینوں کے قریب جتنا بھی ہو سکے کریں۔

☆......جنکشن میں شامل ہونے سے پہلے ٹریفک کو بہت اچھی طرح چیک کریں۔

Edge forward to improve view

ایگزامینر آپ کا ٹیسٹ کیسے لے گا

اس کیلئے کوئی خاص مشق نہیں۔

ایگزامینر آپ کی ڈرائیونگ پر نظر رکھے گا اور دھیان رکھے گا

☆......ایم ایس ایم روٹین کے صحیح استعمال پر

☆......جنکشن پر پہنچنے پر گاڑی کی پوزیشن اور سپیڈ پر

☆...... آپ کے مشاہدہ اور قوّتِ فیصلہ پر

ہنر جو آپ کو دکھانے چاہئیں

آپ کو چاہیئے کہ

☆......روڈ سائین اور روڈ مارکنگ دیکھ سکیں اور جو کچھ دیکھیں اُن پر صحیح عمل بھی کریں

☆......جنکشن پر پہنچ کر سپیڈ کو صحیح کریں۔

☆...... صحیح وقت پر گاڑی آہستہ کریں تا کہ تیز بریک لگانے کی ضرورت نہ پڑے

☆......دوسری ٹریفک کی سپیڈ کو سمجھیں خاص کر راؤنڈ آباؤٹ پر اور جب کسی بڑے روڈ میں شامل ہو رہے ہوں

☆...... صحیح پوزیشن میں صحیح طریقہ سے موڑیں۔

غلطیاں جو نہیں کرنی چاہئیں

آپ کو نہیں چاہیئے کہ

☆......غلط سپیڈ سے جنکشن پر پہنچیں

☆......غلط پوزیشن میں غلط طریقہ سے موڑیں

☆......جنکشن میں غیر محفوظ ہو کر شامل ہوں

☆......ضروری نہ ہوتے ہوئے بھی رُکے رہیں یا انتظار کریں۔

روکاوٹیں-اوورٹیکنگ

ٹیسٹ کیلئے کیا ضروری ہے

جب اوورٹیک کرنا ہو تو

☆......جو سائین اور روڈ مارکنگ اوورٹیکنگ کرنے سے منع کرتے ہیں اُن پر عمل کریں

☆......مناسب جگہ دیں

☆......موٹر سائیکل، سائیکل سوار اور گھوڑ سوار کو اوورٹیک کرتے وقت اتنی جگہ دیں جتنی گاڑی کو جگہ دی جاتی ہے یہ بعض اوقات اچانک ڈگمگا جاتے ہیں یا بِدک جاتے ہیں۔

☆......اوورٹیک کرنے کے بعد واپس اپنی جگہ آنے کیلئے زیادہ جگہ دیں فوراً راستہ کاٹ کر نہ آئیں۔

ایگزامینر آپ کا ٹیسٹ کیسے لے گا

اس کیلئے کوئی خاص مشق نہیں ایگزامینر آپ کی ڈرائیونگ پر نظر رکھے گا اور دیکھے گا کہ آپ کیسے

☆......ایم ایس ایم روٹین استعمال کرتی / کرتے ہیں

☆......روڈ اور ٹریفک کنڈیشن کے مطابق کیسے ردِ عمل کرتی / کرتے ہیں

☆......کنٹرول کیسے استعمال کرتے ہیں۔

ہنر جو آپ کو دکھانے چاہئیں

آپ کو دوسری گاڑیوں کی سپیڈ اور پوزیشن کا اندازہ لگانے کے قابل ہونا چاہئیے

☆......پچھلی گاڑی - ہو سکتا ہے آپ کو اوورٹیک کرنے کی کوشش کر رہی ہو

☆......اگلی گاڑی - اگر آپ اوورٹیک کرنا چاہتے ہیں تو جو گاڑیاں آگے سے آپ کی طرف آ رہی ہیں۔

اوورٹیک اُس وقت کریں جب آپ کر سکیں

☆......حفاظت سے

☆......دوسری ٹریفک کو آہستہ کئے بغیر یا اُن کے راستے میں تبدیلی لائے بغیر۔

غلطیاں جو نہیں کرنی چاہئیں

آپ کو مندرجہ ذیل حالات میں کبھی اوورٹیک نہیں کرنا چاہئیے

☆......جب آپ کو آگے روڈ پر صاف دکھائی نہ دے رہا ہو

☆......حد سے زیادہ تیز سپیڈ کے ساتھ ☆......اگر روڈ تنگ ہے

روکاوٹیں-گاڑیوں کو راستہ دینا یا اُن کے پاس سے گزرنا

ٹیسٹ کیلئے کیا ضروری ہے

آپ کو آنے والی ٹریفک سے حفاظت اور پورے اعتماد سے گزرنا چاہئیے ایسی صورت میں بھی جب

☆......روڈ تنگ ہو ☆......روڈ پر گاڑیاں پارک ہیں یا کوئی اور روکاوٹ ہے۔

اگر روکاوٹ آپ کی سائیڈ پر ہے یا دو گاڑیوں کی حفاظت سے گزرنے کی جگہ نہیں ہے تو

☆......ایم ایس ایم روٹین استعمال کریں ☆...... آنے والی ٹریفک کو راستہ دینے کیلئے تیار رہیں

اگر آپ کو رُکنے کی ضرورت ہے تو روکاوٹ سے مناسب فاصلہ پر رُکیں تاکہ

☆......آگے دُور تک روڈ بہتر طور پر نظر آسکے

☆......اپنے لئے اتنی جگہ ہو کہ جب راستہ صاف ہو تو آسانی سے گزر سکیں۔

جب کھڑی گاڑی کے پاس سے گزریں۔اگر ممکن ہو تو گاڑی کا دروازہ کھولنے کیلئے جگہ ضرور چھوڑیں

ایگزامینر آپ کا ٹیسٹ کیسے لے گا

اس کیلئے کوئی خاص مشق نہیں ایگزامینر آپ کی ڈرائیونگ پر غور کرے گا اور مندرجہ ذیل کے استعمال کو نوٹ کرے گا

☆......ایم ایس ایم روٹین

☆......روڈ اور ٹریفک کنڈیشن کے مطابق آپ کیسے ردِ عمل کرتے ہیں

☆......کنٹرول کیسے استعمال کرتے ہیں۔

ہنر جو آپ کو دکھانے چاہئیں

آپ کو چاہئیے کہ

☆......جب آنے والی ٹریفک سے واسطہ پڑے تو صحیح اندازہ لگائیں اور گاڑی پر پورا کنٹرول رکھیں۔

☆......جب گاڑی کو روکیں اور پھر چلائیں تو تسلی بخش فیصلہ کر کے چلائیں۔

☆......جب پارک گاڑیوں کے پاس سے گزریں تو مناسب جگہ چھوڑیں۔

مندرجہ ذیل پر دھیان رکھیں

☆......گاڑیوں کے دروازوں کا کھلنا ☆......بچوں کا اچانک گاڑی کے درمیان سے دوڑ کر روڈ پر آجانا

☆......پیدل چلنے والوں کا فٹ پاتھ سے روڈ پر آجانا ☆......گاڑی کا بغیر کسی وارننگ کے اچانک باہر نکل آنا۔

روکاوٹیں- دوسری گاڑیوں کے راستہ سے کراس کرنا

ٹیسٹ کیلئے کیا ضروری ہے

آپ کو دوسری گاڑیوں کے راستہ سے حفاظت اور پورے اعتماد سے گزرنے کے قابل ہونا چاہئیے۔

آپ کو عام طور پر سائیڈ روڈ میں رائیٹ مُڑنے یا ڈرائیووے میں جانے کیلئے دوسرے ڈرائیوروں کے راستہ سے گزرنے کی ضرورت ہوتی ہے۔

آپ کو چاہئیے کہ

☆......ایم ایس ایم روٹین استعمال کریں

☆......گاڑی کی پوزیشن صحیح اور سپیڈ ایڈجسٹ کریں

☆......گاڑی کو روڈ کے درمیان لائین کے ساتھ حفاظت سے جتنا بھی ممکن ہو نزدیک کرلیں

☆......آنے والی ٹریفک کو دیکھیں اور اگر ضروری ہو تو روک لیں۔

ایسے پیدل چلنے والوں پر دھیان رکھیں

☆......جو سائیڈ روڈ کو کراس کر رہے ہیں

☆......اگر آپ اپنے ڈرائیووے میں داخل ہو رہے ہیں تو جو لوگ فٹ پاتھ پر چل رہے ہیں اُن پر دھیان دیں

اگر آپ ٹریفک کی قطار میں کسی گاڑی کے پیچھے کھڑے ہیں تو مناسب وقفہ رکھیں کہ اگر اگلی گاڑی خراب ہو جائے تو آپ اپنی گاڑی پیچھے سے آسانی سے نکال سکیں۔

ایگزامینر آپ کا ٹیسٹ کیسے لے گا

اس کیلئے کوئی خاص مشق نہیں ایگزامینر آپ کی ڈرائیونگ پر پورا دھیان رکھے گا اور غور کرے گا کہ آپ آنے والی ٹریفک کا کس طرح اندازہ لگا رہے ہیں۔

ہنر جو آپ کو دکھانے چاہئیں

آپ کو یہ دکھانا چاہئیے کہ آپ ایم ایس ایم (MSM) کا استعمال کر کے جنکشن میں یا ڈرائیووے میں رائیٹ کی طرف گاڑی کو حفاظت سے موڑ سکتے ہیں۔

غلطیاں جو نہیں کرنی چاہئیں

آپ کی وجہ سے دوسری ٹریفک کو

☆...... آہستہ نہ ہونا پڑ جائے

☆......اپنی جگہ سے ہٹنا یا پھرنا نہ پڑ جائے

☆...... کھڑا نہ ہونا پڑ جائے۔

آپ کو

☆......کورنر نہیں کاٹنا چاہئیے

☆...... مُوڑنا شروع کرنے سے پہلے موڑنے کی صحیح جگہ سے آگے نہیں نکل جانا چاہئیے۔

روکاوٹیں- گاڑی کے پیچھے ڈرائیونگ کرتے محفوظ فاصلہ رکھنا

ٹیسٹ کیلئے کیا ضروری ہے

ہمیشہ اگلی گاڑی سے اپنی گاڑی کا مناسب فاصلہ رکھیں تا کہ ضرورت پڑنے پر بروقت آسانی سے جو فاصلہ صاف نظر آرہا ہے اس کی حد کے اندر گاڑی روک سکیں۔

ہمیشہ اپنی گاڑی اور اگلی گاڑی کے درمیان محفوظ فاصلہ رکھنا چاہئے۔

روڈ کی صحیح کنڈیشن ہو تو جس بھی سپیڈ سے گاڑی ڈرائیو کر رہے ہوں تو اگلی گاڑی سے وقفہ کم از کم ایک میٹر ہر میل فی گھنٹہ کی رفتار پر ہونا چاہئے یا دو سیکنڈ وقت کا وقفہ ہونا چاہئے۔

روڈ کی کنڈیشن خراب ہو تو کم از کم وقفہ فاصلہ کا ڈبل ہو یا چار سیکنڈ وقت کا وقفہ ہونا چاہئے۔

بہت ہی آہستہ یا پُر ہجوم ٹریفک میں زیادہ وقفہ عملاً ممکن نہیں

ایگزامینر آپ کا ٹیسٹ کیسے لے گا

اس قسم کی ڈرائیونگ کے ٹیسٹ کیلئے کوئی خاص مشق نہیں ایگزامینر آپ کی ڈرائیونگ پر غور کرے گا اور دیکھے گا کہ آپ کیسے

☆......ایم ایس ایم روٹین کا استعمال کر رہے ہیں

☆......حالات کا پہلے سے اندازہ یا پیش بینی کر رہے ہیں

☆......روڈ یا ٹریفک کے حالات میں کوئی تبدیلی ہونے پر ردِ عمل کر رہے ہیں۔

☆...... کنٹرول کا صحیح استعمال کر رہے ہیں

ہنر جو آپ کو دکھانے چاہئیں

آپ کو چاہئیے کہ

☆......اگلی گاڑی اور اپنی گاڑی کے درمیان کے مناسب فاصلہ کا اندازہ لگانے کے قابل ہونا چاہئیے

☆......ایم ایس ایم کا صحیح استعمال کرنا چاہئیے خاص کر سپیڈ کو کم کرنے سے پہلے

☆......اگر اگلی گاڑی آہستہ ہو یا کھڑی ہو جائے تو ضرورت پر بریک کا استعمال تیزی سے ہر گز نہیں کرنا چاہئیے

☆......جب آگے کسی بڑی لاری یا بس کی وجہ سے دُور تک نظر نہ آئے تو زیادہ احتیاط کرنی چاہئیے۔

نظر رکھیں اگلی گاڑیوں کی

☆......بریک لائیٹس پر

☆......ڈرکشن انڈیکیٹرز پر

☆......بغیر کسی وارننگ کے بریک کے استعمال پر

غلطیاں جو نہیں کرنی چاہئیں

آپ کو نہیں کرنا چاہئیے

☆......اگلی گاڑی کے بہت نزدیک ڈرائیو کرنا

☆......یکدم بریک لگانا

☆......ٹریفک کے قیو یا قطار میں اگلی گاڑی کے بہت نزدیک گاڑی کھڑی کرنا۔

روکاوٹیں- روڈ پوزیشن اور لین ڈسپلن

ٹیسٹ کیلئے کیا ضروری ہے

آپ کو چاہئیے کہ

☆......عام طور پر ڈرائیونگ میں گاڑی لیفٹ کی طرف رکھیں

☆......پارک گاڑیوں سے مناسب فاصلہ رکھیں

☆......پارک گاڑیوں کے درمیان خالی جگہ میں اندر باہر ہونے کی کوشش نہ کریں

☆......جس طرف بھی جانے کا ارادہ ہو گاڑی کی پوزیشن کو اُس کے مطابق صحیح رکھیں۔

آپ کو تمام لین مارکنگ کے اصولوں پر عمل کرنا چاہئیے خاص کر

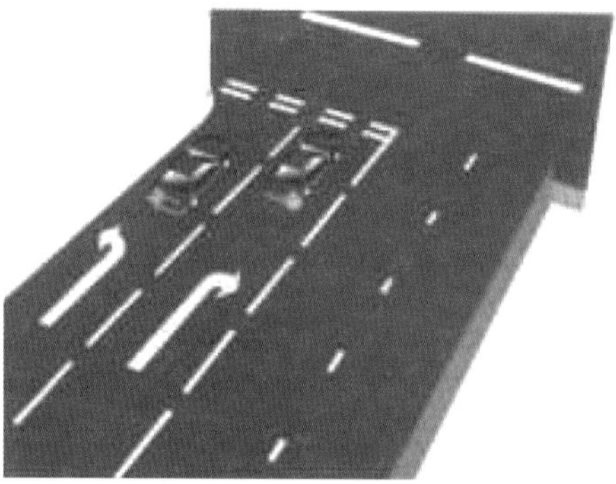

☆......بس اور سائیکل لینز

☆......ون وے سٹریٹس

اور خاص کر مندرجہ ذیل سے باخبر رہیں

☆......بس اور سائیکل لین

☆......جنکشن کے نزدیک لیفٹ یا رائیٹ مُڑنے کیلئے تیر۔

ایگزامینر آپ کا ٹیسٹ کیسے لے گا

اس کیلئے کوئی خاص مشق نہیں ایگزامینر آپ کی ڈرائیونگ پر غور کرے گا خاص کر آپ کا

☆......ایم ایس ایم روٹین کا استعمال

☆...... صحیح وقت پر درست لین کا انتخاب۔

ہنر جو آپ کو دکھانے چاہئیں

آپ کو چاہئیے کہ

☆......وقت سے پہلے منصوبہ بنائیں اور صحیح وقت پر مطلوبہ لین میں شامل ہو جائیں

☆......ایم ایس ایم روٹین کو صحیح استعمال کریں

☆......گاڑی کی پوزیشن سوچ سمجھ کر صحیح بنائیں بے شک روڈ مارکنگ نہ بھی ہوں۔

غلطیاں جو نہیں کرنی چاہئیں

آپ کو نہیں چاہیئے کہ

☆......گاڑی کرب کے بہت نزدیک چلائیں

☆......روڈ کے سینٹر کے قریب گاڑی چلائیں

☆......دیر سے یا بغیر کسی وجہ کے لین تبدیل کریں

☆......غلط پوزیشن بنا کر یا غلط لین میں رہ کر دوسرے روڈ استعمال کرنے والوں کے راستہ کی رکاوٹ بنیں

☆......لینز یا لین مارکنگز پر اِدھر اُدھر لڑھکتے رہیں

☆......راؤنڈ آباؤٹ میں دوسرے ڈرائیوروں کا راستہ کاٹ کر کسی دوسری لین میں جائیں۔

روکاوٹیں- پیدل چلنے والوں کے کراسنگز

ٹیسٹ کیلئے کیا ضروری ہے

آپ کو چاہئیے کہ

☆...... مختلف قسم کے پیدل چلنے والوں کے کراسنگ کی پہچان کریں

☆...... پیدل چلنے والوں کا بہت خیال رکھیں اور ان سے خوش اخلاقی سے پیش آئیں

☆...... جب بھی ضروری ہو گاڑی کو حفاظت سے کھڑی کر لیں۔

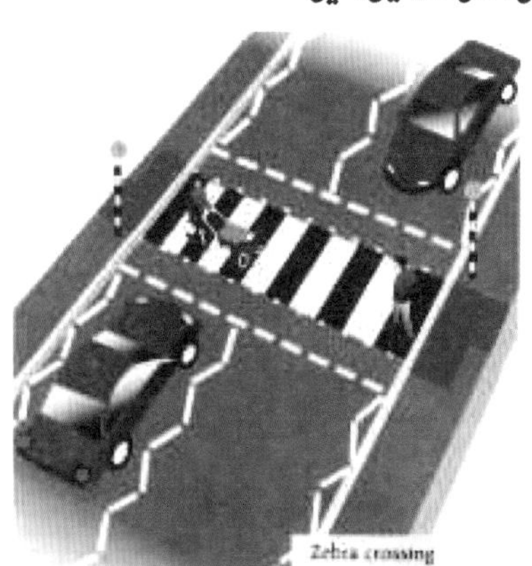
Zebra crossing

زیبرا کراسنگ

اگر کوئی کراسنگ کیلئے کھڑا ہو تو آپ گاڑی آہستہ کر کے کھڑی کر دیں۔

آپ کو چاہئیے کہ

☆...... اگر کوئی کراس کرنے کیلئے انتظار کر رہا ہو تو آپ گاڑی کو آہستہ کر لیں اور رکنے کیلئے تیار رہیں۔

☆...... آپ کو معلوم ہونا چاہئیے کہ ہاتھوں کے اشارے آہستہ ہونے یا رکنے سے پہلے صحیح طور پر کیسے دیئے جاتے ہیں اگر ضروری ہو تو۔

پیلیکن ، پفین اور ٹوکین کراسنگز

Pelican crossing

آپ کو چاہئیے کہ

☆...... اگر لائیٹس سرخ ہیں تو گاڑی کھڑی کریں

☆...... جب بھی پیلی لائیٹس فلش ہو رہی ہوں تو اگر کوئی آدمی کراسنگ پر کراس کر رہا ہے تو اُسے راستہ دیں

☆...... ٹوکین کراسنگ پر کوئی سائیکل سوار کراس کر رہا ہو تو راستہ دیں جیسے کہ پیدل چلنے والوں کو راستہ دیا جاتا ہے۔

ایگزامینر آپ کا ٹیسٹ کیسے لے گا

اس کیلئے کوئی خاص مشق نہیں ایگزامینر آپ کی طرف پورا دھیان رکھے گا کہ آپ پیدل چلنے والوں کے کراسنگ پر کیسے ردِ عمل کرینگے۔

آپ کو چاہئیے کہ

☆......پیدل چلنے والوں کے کراسنگ پہنچنے پر سپیڈ پر پورا کنٹرول ہو

☆......ضرورت کے وقت حفاظت سے گاڑی روک لیں

☆......بہت اچھی طرح دیکھ کر جب محفوظ ہو تو گاڑی کو چلائیں ۔

غلطیاں جو نہیں کرنی چاہئیں

کبھی نہ کریں

☆......کراسنگ پر بہت تیزی سے پہنچنا

☆......پیدل چلنے والے جو کراسنگ پر انتظار کر رہے ہیں اُن کا خیال نہ کرنا اور بغیر رُکے گزر جانا

☆......کراسنگ کے ایریا پر گاڑی کھڑی کر کے پیدل چلنے والوں کا راستہ بند کر دینا۔

پیدل چلنے والوں کو جلد کراس کرنے پر مجبور نہ کریں مثلاً

☆......ہارن دے کر

☆......انجن کی آواز نکال کر

☆......آگے کھسک کر۔

مت کریں

☆......زِگ ذیگ کی سفید لائینز جو کراسنگ تک لگی ہوتی ہیں وہاں پر اوور ٹیک

☆......پیدل چلنے والوں کو کراس کرنے کیلئے اشارہ

☆......ٹریفک لائیٹ کے سگنل پر دیر سے یا غلط عمل ۔

گاڑی کھڑی کرنے کیلئے محفوظ جگہ کا انتخاب کرنا

ٹیسٹ کیلئے کیا ضروری ہے

جب گاڑی کھڑی کریں تو ایسی جگہ کا انتخاب کریں کہ

☆......روڈ پر روکاوٹ نہ ڈالیں

☆......کوئی خطرہ پیدا نہ کریں

آپ کو ہمیشہ روڈ کے کنارے کے قریب گاڑی کھڑی کرنی چاہیئے۔

ایگزامینر آپ کا ٹیسٹ کیسے لے گا

اس ٹیسٹ کیلئے کوئی خاص مشق نہیں ایگزامینر آپ کی ڈرائیونگ پر دھیان رکھے گا اور دیکھے گا کہ آپ

☆......ایم ایس ایم روٹین کیسے استعمال کرتی / کرتے ہیں

☆......گاڑی کھڑی کرنے کیلئے صحیح جگہ کا انتخاب کیسے کرتی / کرتے ہیں ۔

ہنر جو آپ کو دکھانے چاہئیں

آپ کو اتنا علم ہونا چاہیئے کہ گاڑی کیسے اور کہاں کھڑی کی جائے تا کہ دوسرے روڈ استعمال کرنے والوں کو تکلیف یا خطرہ پیش نہ آئے۔

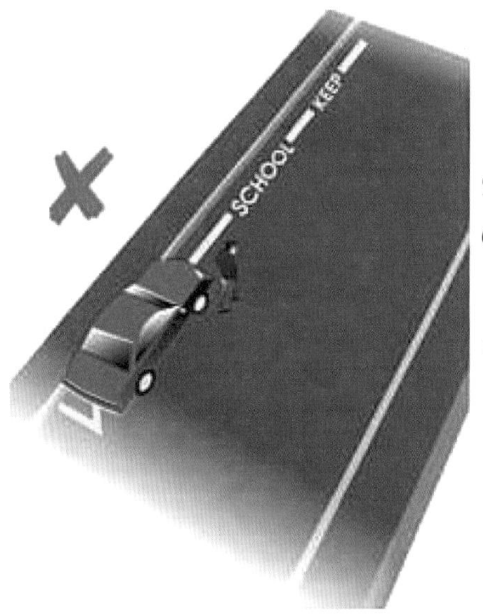

غلطیاں جو آپ کو نہیں کرنی چاہئیں

آپ کو

☆......دوسرے روڈ استعمال کرنے والوں کو حسبِ ضرورت وارننگ دیئے بغیر گاڑی کھڑی نہیں کر لینی چاہیئے۔

☆......گاڑی کھڑی کرتے دوسرے روڈ استعمال کرنے والوں کیلئے کوئی خطرہ یا تکلیف نہ ہو۔

چوکنااور ہوشیار

ٹیسٹ کیلئے کیاضروری ہے

آپ کودوسرے روڈکے استعمال کرنے والوں کیلئے ہر وقت باخبر رہنا چاہیئے اس کے علاوہ وقت سے پہلے منصوبہ بندی کرنی چاہیئے۔ آپ کو چاہیئے کہ

☆......اندازہ لگائیں کہ دوسرے روڈکو استعمال کرنے والے کیا کرنے والے ہیں

☆...... پہلے ہی پیش بینی کرلیں کہ دوسروں کے عمل سے آپ پر کیا اثر پڑے گا

☆......اپنا ردِعمل حفاظت سے اور صحیح وقت پر کریں۔

ہنر جو آپ کو دکھانے چاہئیں

آپ کو دوسرے روڈکو استعمال کرنے والوں سے ہوشیار اور چوکنارہنا چاہیئے اور اپنے آپ کو مصیبت یا مشکل کے وقت سنبھلنے کیلئے پیشگی خیال رکھنا چاہیئے۔

پیدل چلنے والے

آپ کو چاہیئے کہ

☆......جب بھی ایک روڈ سے دوسرے روڈ میں مُڑنا ہو تو پہلے پیدل چلنے والوں کو راستہ دیں۔

☆......بچوں ،معذوروں اور بوڑھوں کا خاص خیال رکھیں۔ ہو سکتا ہے اُنہوں نے آپ کو دیکھا نہ ہو اور یکدم روڈ پر آجائیں۔

سائیکل سوار

سائیکل سواروں کا خاص خیال رکھیں

☆......جب بھی بس یا سائیکل لین کو کراس کریں

☆......جب سائیکل سوار آپ کے لیفٹ سائیڈ سے گزر رہے ہوں

☆......جب کوئی بچہ سائیکل چلا رہا ہو۔

موپڈ اور موٹر سائیکل سوار

موپڈ اور موٹر سائیکل سواروں کا پورا خیال رکھیں

☆......جب گاڑیاں آہستہ اور قیو میں جارہی ہوں تو سکوٹر سواروں پر نظر رکھیں وہ آگے جانے کیلئے کسی طرف سے بھی جانے کی کوشش کریں گے۔

☆...... آپ کی گاڑی کی لیفٹ سائیڈ سے بھی گزرنے کی کوشش کریں گے

☆...... جنکشن پر اُن کو بھی گزرنا ہے۔

جانور

جانوروں کی خاص احتیاط کریں۔ گھوڑ سواروں اور دوسرے جانوروں کو زیادہ سے زیادہ جگہ دیں بہت چھوٹے اور ناتجربہ کار سواروں کے پاس سے گزرتے وقت گاڑی کی سپیڈ کم رکھیں اور ہارن نہ بجائیں۔

غلطیاں جو نہیں کرنی چاہئیں

آپ کو نہیں چاہیئے

☆......روڈ اور ٹریفک کنڈیشن کے برعکس ایک ردِ عمل کرنا

☆......دوسرے روڈ کو استعمال کرنے والوں کو غصہ دکھانا

☆......ہارن سے ڈرانا دھمکانا

☆......جب پیدل چلنے والے روڈ کراس کرنے کیلئے انتظار کر رہے ہوں تو انجن کی آواز سے شور کرنا یا گاڑی کو آگے کھسکانا۔

سیکشن 3 ڈِسکوالیفائیڈ ڈرائیورز کادوبارہ ڈرائیونگ ٹیسٹ

اس سیکشن میں یہ بتایا گیا ہے کہ ڈسکوالیفائیڈ ہونے پر دوبارہ ٹیسٹ دینے کیلئے کیا ضروری ہے۔

اس سیکشن میں مندرجہ ذیل موضوعات ہیں

☆......ڈرائیوروں کیلئے نیا قانون

☆......ٹیسٹ کالمباوقت

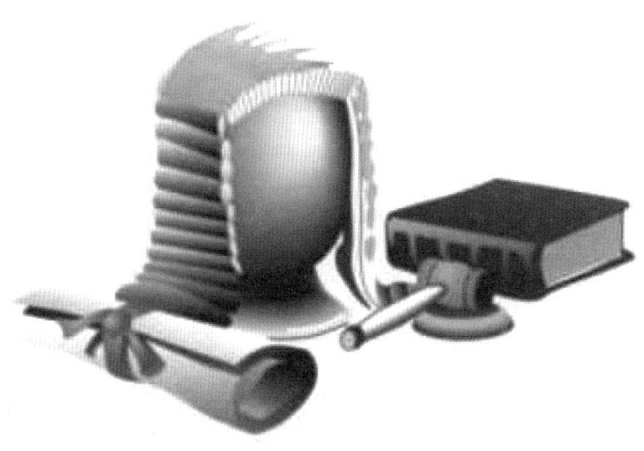

ڈرائیوروں کیلئے نیا قانون

کون متاثر ہوگا

اس نئے قانون سے وہ لوگ متاثر ہونگے جن لوگوں نے فرسٹ جون 1997 کے بعد ڈرائیونگ ٹیسٹ پاس کیا ہے اور اس سے پہلے اُن کے پاس عارضی لائیسنس تھا۔

ڈرائیونگ ٹیسٹ پاس کرنے کے بعد پہلے دو سال نئے قانون کے مطابق اُن پر پابندی عائد ہوتی ہے۔

نیا قانون آپ پر کیسے اثرانداز ہوسکتا ہے۔

آپ کا لائیسنس رَد ہوجائے گا اگر آپ نے کوئی ایسا جُرم کیا جس سے آپ کے لائیسنس پر سزا کے نمبر چھ یا زیادہ ہوگئے ہیں اور آپ کو ٹیسٹ پاس کئے دوسال کا عرصہ ہوگیا ہے۔

ایسی صورت میں آپ کو عارضی لائیسنس کیلئے دوبارہ درخواست دینی ہوگی اور آپ کو سیکھنے والوں میں شمار کیا جائے گا اور تھیوری اور پریکٹیکل ٹیسٹ دوبارہ پاس کرنا ہوگا۔

ٹیسٹ کا لمبا وقت

جرمانے

جو کوئی بھی خطرناک ڈرائیونگ کرتا ہے تو اُس کو سخت سزا دی جاتی ہے۔

ایسے لوگوں کیلئے کورٹ مندرجہ ذیل ضرور کرتی ہے۔

☆......جو لوگ ڈرائیونگ میں بہت ہی خطرناک غلطیاں کرتے ہیں تو اُن پر دباؤ ڈالنے کیلئے ٹیسٹ کا وقت لمبا کردیا جاتا ہے۔

کورٹ مندرجہ ذیل بھی کرسکتی ہے

☆......اگر کسی قسم کی قانون کی نافرمانی سے لازمی نا اہل قرار دیا گیا تو سزا کے طور پر اُس کے ٹیسٹ کا وقت لمبا کردیا جاتا ہے۔

☆......کورٹ میں بعض اوقات ایسا بھی ہوتا ہے کہ کسی نے ڈرائیونگ میں ایسی غلطی کی ہے جس کی وجہ سے ٹیسٹ عام وقت میں لیا جائے گا۔

دوبارہ ٹیسٹ کیلئے درخواست دینا

ڈرائیور کو دوبارہ ٹیسٹ دینے کیلئے عارضی لائیسنس کی ضرورت ہوتی ہے۔ جن کے پاس عارضی لائیسنس ہو اُن کیلئے مندرجہ ذیل عام اصول لاگو ہوتے ہیں۔

عارضی لائیسنس والے ڈرائیور اپنے ساتھ نگرانی کیلئے مندرجہ ذیل کو بٹھائیں

☆......ایسا ڈرائیور جس کو ٹیسٹ پاس کئے تین سال یا تین سال سے زیادہ عرصہ ہو گیا ہو

☆......کم سے کم عمر اکیس سال یا اس سے زیادہ ہو

گاڑی پر سامنے اور پچھلی سائیڈ پر L پلیٹس لگی ہوں

موٹروے پر عارضی لائیسنس والے ڈرائیور کو اجازت نہیں ہے

تھیوری ٹیسٹ

پریکٹیکل ٹیسٹ کی عرضی دینے سے پہلے تھیوری ٹیسٹ پاس کرنا لازمی ہے۔

ٹیسٹ کیلئے زیادہ وقت سے مطلب

ٹیسٹ تقریباً ستر (70) منٹ کا ہوتا ہے اور اس ٹیسٹ میں کئی قسم کے روڈ اور ایریئے شامل ہیں تاکہ ہر ایک قسم کا ٹیسٹ لیا جا سکے ڈیول کیرج وے وغیرہ بھی شامل ہیں اسلئے ٹیسٹ کی پوری تیاری کر کے جانا چاہیئے۔

آپ کو کسی تجربہ کار انسٹرکٹر سے ضرور سیکھنا چاہیئے۔

زیادہ فیس

ٹیسٹ کا وقت زیادہ ہونے کی وجہ سے فیس بھی زیادہ دینی پڑتی ہے۔

ایگزامینر آپ کا ٹیسٹ کیسے لے گا

آپ کے ٹیسٹ میں وہ سب شامل ہے جو عام ٹیسٹ میں ہوتا ہے۔ ایگزامینر آپ کی ڈرائیونگ کو دیکھے گا اور مندرجہ ذیل نوٹ کرے گا

☆......ڈرائیونگ ٹیسٹ کے دوران آپ کی توجہ اور حاضر دماغی

☆......دوسرے روڈ استعمال کرنے والوں کے ساتھ آپ کا برتاؤ۔

سیکشن 4 مزید معلومات

اس سیکشن میں ڈرائیونگ ٹیسٹ کے بارے میں مزید معلومات دی گئی ہیں

اس سیکشن میں مندرجہ ذیل موضوعات کے بارے میں بتایا گیا ہے

☆......ڈرائیونگ ٹیسٹ پاس کرنا

☆......پاس پلس سکیم

☆......ڈرائیونگ ٹیسٹ میں ناکامی

☆...... قاعدہ کے مطابق سیلبس

☆......ڈی ایس اے سے کسی قسم کی شکایت پر طالب علم کی رہنمائی

☆......ڈی ایس اے معاوضہ کے کوڈ برائے ٹیسٹ امیدوار

☆......ڈی ایس اے کے دفاتر وغیرہ

ڈرائیونگ ٹیسٹ پاس کرنا

اگر آپ نے ٹیسٹ پاس کرلیا

بہت ہی اچھاہے اگر آپ نے ڈرائیونگ ٹیسٹ پاس کرلیا اس کا مطلب کہ آپ ڈرائیونگ حفاظت سے کر سکتے ہیں۔ آپ کو مندرجہ ذیل ضروری کاغذات دیئے جائیں گے

☆......پاس سرٹیفکیٹ

☆......ٹیسٹ کی رپورٹ جس میں آپ نے کوئی بھی کیسی بھی غلطی کی ہے اس کا اندراج ہے

☆......ڈرائیونگ ٹیسٹ رپورٹ کے بارے میں عام ہدائیت کرنا یا سمجھانا

ڈرائیونگ ٹیسٹ رپورٹ کے بارے میں اپنے انسٹرکٹر سے مشورہ کرنا اور سمجھنا کہ ایگزامینر نے آپ کے ٹیسٹ کی رپورٹ میں کیا کُچھ بتایا ہے۔ یہ رپورٹ آپ کیلئے مددگار ثابت ہوتی ہے کہ آپ کی ڈرائیونگ میں کیا کمزوری ابھی باقی ہے تاکہ آئندہ اُن کو ٹھیک کر سکیں۔

یادرکھیں :- نئے قانون کے مطابق آپ کا لائیسنس منسوخ ہوسکتا ہے اگر آپ نے دوسال کے دوران کوئی ایسی غلطی کی جس سے چھ جرم کے پوئنٹ آپ کے لائیسنس پر لگ گئے۔اس کے بارے میں پہلے تفصیل سے بتایا جاچکا ہے۔

ڈرائیونگ سٹینڈرڈ کو اور بہتر بنانا

آپ کو اپنی ڈرائیونگ کو اور بہتر بنانے کیلئے ہدایات اور تجربہ چاہئیے۔

پاس پلس سکیم ہی آپ کی ڈرائیونگ کو بہتر بناسکتی ہے اس کیلئے آپ کو اپنے انسٹرکٹر سے یا ڈی ایس اے سے مشورہ کرنا چاہئیے۔

اس کے علاوہ کئی اور ادارے بھی ہیں جو آپ کو معلومات دے سکتے ہیں مثلاً لوکل روڈ سیفٹی افیسر

موٹروے ڈرائیونگ

موٹروے ڈرائیونگ کے قوائد و ضوابط کا جاننا بہت ہی ضروری ہے۔ آپ کا ڈرائیونگ انسٹرکٹر اس بارے میں آپ کی مدد کرسکتا ہے تاکہ آپ موٹروے پر ڈرائیونگ کرنے سے پہلے اپنے انسٹرکٹر کے ساتھ موٹروے کی ڈرائیونگ کا تجربہ حاصل کریں۔اس طرح آپ موٹروے پر محفوظ ڈرائیونگ کرنے کے قابل ہوجائیں گے۔

پاس پلس سکیم

پاس پلس

پاس پلس کی ٹریننگ کا تعلق گاڑی کی انشورنس کمپنی سے بھی ہوتا ہے۔

☆...... گاڑی کی انشورنس میں کم لاگت آتی ہے

☆...... آپ کی ڈرائیونگ بہتر ہو جائے گی آپ ڈرائیونگ کرتے لطف اندوز اور محفوظ بھی ہونگے

☆...... محفوظ ڈرائیونگ میں تجربہ اور مہارت حاصل ہو گی۔

پاس پلس میں مندرجہ ذیل شامل ہو گا

☆...... ایسے ایریا میں ڈرائیونگ کرنے میں تجربہ ہو جائے گا جس ایریا میں آپ نے کبھی نہیں یا بہت کم ڈرائیونگ کی ہے۔

☆...... آپ کو روڈ پر ایکسیڈینٹ کے واقعات میں بھی کمی ہو جائے گی۔

پاس پلس کورس کیلئے آپ کو فیس دینی پڑتی ہے لیکن اس کورس سے یہ فائدہ ہو گا کہ جس انشورنس کمپنی سے اس کورس کا تعلق ہے آپ نے گاڑی کی انشورنس اسی کمپنی سے کروائی اور آپ ان کو پاس پلس پاس کرنے کا سرٹیفکیٹ دکھاتے ہیں تو آپ کی انشورنس کی لاگت کم ہو جائے گی۔

پاس پلس سے یہ فائدہ بھی ہو گا کہ آپ ڈرائیونگ میں ایک محفوظ ہنر مند اور ذمہ دار ڈرائیور بننا چاہتے ہیں۔

پاس پلس سکیم کا اصل مقصد مندرجہ ذیل ہے

☆...... جلد سے جلد ڈرائیونگ میں بہتر تجربہ حاصل کرنا

☆...... ڈرائیونگ میں اچھے ہنر حاصل کرنا

پاس پلس کورس کے دوران آپ کے ذہن میں مندرجہ ذیل دو اہم جز ہونگے

رویہ

☆...... آپ کے عمل کی ذمہ داری

☆...... دوسرے روڈ کو استعمال کرنے والوں کیلئے احتیاط کرنا اور اُن پر توجہ دینا۔

تجربہ

☆...... مشاہدہ ☆...... جو کچھ نظر آئے اُس کا اندازہ لگانا ☆...... صحیح فیصلے کرنا ☆...... صحیح عمل کرنا

آپ کا انسٹرکٹر آپ کو بتائے گا کہ یہ اچھی ڈرائیونگ کے اہم پہلو کیوں ہیں۔

ڈرائیونگ ٹیسٹ میں ناکامی

اگر آپ ٹیسٹ میں کامیاب نہ ہو سکے

آپ کی ڈرائیونگ سٹینڈرڈ کے مطابق نہیں ہے یا آپ ڈرائیونگ میں کمزور ہیں۔ اور آپ نے ٹیسٹ میں ایسی غلطیاں کی ہیں جو دوسرے روڈ کو استعمال کرنے والوں کیلئے خطرناک ثابت ہو سکتی ہیں۔

اگیزامینر آپ کو مندرجہ ذیل بتائے گا اور مدد کرے گا

☆...... ٹیسٹ کی رپورٹ دے گا کہ ٹیسٹ کے دوران آپ نے کیا غلطیاں کی ہیں

☆...... غلطیوں کے بارے میں تفصیل سے بتائے گا کہ آپ نے کیوں ٹیسٹ پاس نہیں کیا ہے۔

اگیزامینر جب آپ کو ٹیسٹ رپورٹ کے بارے میں سمجھائے تو غور سے سنیں۔ وہ آپ کی مدد کرے گا کہ آپ کو کیسے ان غلطیوں کو دُور کرنا ہے۔

ڈرائیونگ ٹیسٹ رپورٹ کا مطالع کریں۔ اور آپ کو پتہ چلے گا کہ اگیزامینر نے آپ کی ٹیسٹ رپورٹ کیسے تیار کی ہے۔اور اس رپورٹ سے غلطیوں کے بارے میں اس کتاب کے وہی سیکشن پڑھیں گے۔

اپنی ٹیسٹ رپورٹ اپنے انسٹرکٹر کو بھی بتائیں جو آپ کو مشورہ دے گا اور غلطیوں کو درست کرنے میں مدد کرے گا۔اپنے انسٹرکٹر کی نصیحت کو غور سے سنیں اور جتنی ہو سکے ڈرائیونگ میں پریکٹس کریں۔

اپیل کے حقدار

جب آپ ٹیسٹ پاس نہیں ہوتے تو یقیناً آپ مایوس ہو جاتے ہیں۔ مگر اگیزامینر کا فیصلہ بدل نہیں سکتے۔اگر آپ ٹیسٹ سے مطمئن نہیں ہیں ۔کہ آپ کا ٹیسٹ ضابطے کے مطابق نہیں لیا گیا تو آپ کو اپیل کرنے کا پورا حق حاصل ہے اور آپ یہ درخواست چھ ماہ تک دے سکتے ہیں اگر آپ سکاٹ لینڈ میں رہتے ہیں تو یہ مدت 21 دن ہے۔

قاعدہ کے مطابق سیلبس

باضابطہ ڈرائیونگ کی ضروریات کے مطابق نصاب تعلیم

ڈرائیونگ زندگی کیلئے ہنر ہے اس ہنر کو صحیح طریقہ سے حاصل کرنے کو کئی سال لگ جاتے ہیں

یہ سیلبس آپ کو ڈرائیونگ میں بنیادی مہارت اور کامیابی حاصل کرنے کیلئے تیار کیا گیا ہے۔ اس کے ساتھ مندرجہ ذیل کا علم ہونا بھی آپ کیلئے بے حد ضروری ہے۔

☆......ہائی وے کوڈ کا علم اور ڈرائیونگ کے قوانین

☆......ڈرائیور کی حیثیت سے آپ کو اپنی ذمہ داری کو سمجھنا

اس کا مطلب یہ ہے کہ آپ نے صرف اپنی حفاظت کا ہی نہیں بلکہ روڈ کو استعمال کرنے والے ہر ایک کی حفاظت کا خیال رکھنا ہے۔ مثلاً پیدل چلنے والے ، بچے ، بوڑھے اور معذور وغیرہ

یہ بھی یقین کرنا ہے کہ آپ کا انسٹرکٹر ڈرائیونگ کے سیلبس کی ہر چیز سکھاتا ہے۔

قانونی ضروریات

جب آپ ڈرائیونگ سیکھنا شروع کریں تو

1۔ آپ کی عمر سترہ سال ہونی چاہئے یہ (DLA) کی صورت میں 16 سال بھی ہو سکتی ہے۔

2۔ آپ دن کی روشنی میں گاڑی کی نمبر پلیٹ پڑھ سکیں

- **20.5** میٹر کے فاصلہ (**67** فٹ) سے ، لیٹر سائیز **79.4** ملی میٹر (**3.1** انچ) اونچا

3 ۔ ڈرائیونگ کیلئے طبّی طور پر تندرست ہوں

4 ۔ آپ کے پاس عارضی لائیسنس ہو۔

5 ۔ گاڑی کی انشورنس ہو

- گاڑی قانونی لحاظ سے روڈ پر چلنے کے قابل ہو
- گاڑی ایم۔او۔ٹی پاس اگر تین سال سے پرانی ہے
- روڈ ٹیکس

6 ۔ مکمل طور پر گاڑی چلنے کے قابل ہو

7 ۔ گاڑی پر سامنے اور پچھلی سائیڈ پر L پلیٹس لگی ہوں

8 ۔ آپ کو سکھانے والے کا

- ڈرائیونگ کا فُل لائیسنس کم از کم تین سال سے ہو اور عمر اکیس سال ہو

9 ۔ گاڑی کے سب سیٹ بیلٹ صحیح حالت میں ہوں اور باندھے جا سکتے ہوں

10۔ بچے جو چودہ سال سے کم عمر کے ہیں سیٹ بیلٹ باندھے ہوں۔

11۔ صحت کے لحاظ سے ڈرائیونگ کے قابل ہوں

12۔ اور مندرجہ ذیل کے رُول کے بارے میں علم ہو

-ڈرائیونگ لائیسنس - انشورنس سرٹیفکیٹ - روڈ ٹیکس

گاڑی کے ضروری کنٹرولز اور اہم آلات

آپ کو

1 ۔ گاڑی کے کنٹرولز کس طرح کام کرتے ہیں سمجھنا ضروری ہے

- ایکسیلریٹر - کلچ - گئیرز - فٹ بریک - ہینڈ بریک - سٹئیرنگ

اور ان کنٹرولز کو صحیح طریقہ سے استعمال کرنے کے قابل ہوں۔

2۔ گاڑی کے دوسرے کنٹرولز اور سوئچز آلات کا علم ہو جن کو حفاظت کا خاص خیال رکھ کر صحیح استعمال کر سکیں۔

3۔ انسٹرومنٹ پینل پر جو بھی ضروری چیزیں دکھائی گئی ہیں ان کا مطلب معلوم ہونا چاہئیے۔

4۔ قانونی لحاظ سے گاڑی کی ضروریات کا علم ہونا چاہیئے

5۔ آپ مندرجہ ذیل کو باقاعدہ چیک کر سکیں۔

- انجن کولینٹ لیول چیک کرنا - ٹائر پریشر چیک کرنا

اس کے علاوہ گاڑی میں مندرجہ ذیل میں کسی میں کوئی نقص ہو تو پتہ چلانا

سٹئیرنگ - بریکز - ٹائرز - سیٹ بیلٹس - لائیٹس - ریفلکٹرز - ڈرکشن انڈیکیٹرز

- ونڈسکرین وائیپرز اور واشرز - ہارن - شیشے - سپیڈومیٹر - ایگزوسٹ ۔

6۔ گاڑی پر بہت زیادہ وزن لادنے سے یا ضرورت سے زیادہ سواریاں بٹھانے سے خرابی کا پیدا ہونا۔

روڈ استعمال کرنے کی سمجھ

آپ کو پتہ ہونا چاہئیے کہ

1۔ ایکسیڈینٹ کس وجہ سے ہوتے ہیں۔

2۔ روڈ کو استعمال کرنے والوں میں سے کن کو زیادہ خطرہ ہوتا ہے اور کس طرح خطرات کو کم کیا جا سکتا ہے۔

3۔ شراب پی کر ڈرائیونگ کرنے کے قانونی خطرات اور اثرات کا علم۔

4۔ تھکاوٹ ، بیماری اور نشہ کا ڈرائیونگ کی کارکردگی پر اثر۔

5۔ دوسرے روڈ کو استعمال کرنے والوں میں سے بعض کے عمر کے لحاظ سے مسائل سے آگاہ ہونا چاہئیے خصوصاً بچے، جوان اور بوڑھے وغیرہ۔

6۔ مستعد ہوں اور دوسرے لوگ جو روڈ استعمال کر رہے ہوں اُن کے عمل کو پیشگی جان سکتے ہوں اور مناسب احتیاط کر سکتے ہوں۔

7۔ یاد رکھیئے جب آپ گاڑی چلائیں تو دوسرے روڈ کو استعمال کرنے والوں سے خوش اخلاقی سے پیش آئیں اور اُن کا خیال رکھیں کہ یہ محفوظ ڈرائیونگ کیلئے نہائیت ضروری ہے۔

گاڑی کی خصوصیات

آپ کیلئے ضروری ہے کہ

1۔ روڈ اور موسم کنڈیشن کے مطابق اہم اصول بریکنگ فاصلے اور روڈ کی پکڑ کے متعلق جانتے ہوں۔

2۔ دوسری گاڑیوں کی مضبوطی ، سپیڈ ، بریکنگ اور مینورنگ کے بارے میں علم ہو۔

3۔ یہ جانیں کہ کچھ گاڑیاں دوسریوں کی نسبت مشکل سے نظر آتی ہیں۔

4۔ دوسری گاڑیوں سے جو خطرے پیش آسکتے ہیں ان کا اندازہ لگا سکتے ہوں اور احتیاطی تدابیر تجویز کر سکتے ہوں، مثلاً بڑی تجارتی گاڑیاں جو لیفٹ مڑنے سے پہلے رائیٹ کی طرف ہو رہی ہوں۔

- تجارتی گاڑیاں چلانے والے ڈرائیوروں کے پوشیدہ ایریاز
- تیز ہواؤں میں پھنسے ہوئے سائیکل سوار اور موٹر سائیکلیسٹ۔

روڈ اور موسمی کنڈیشن

آپ کیلئے مندرجہ ذیل جاننا ضروری ہے

1۔ مخصوص روکاوٹیں جو دن کے وقت اور رات کے وقت اور مختلف قسم کے روڈ پر پیش آسکتی ہیں۔ مثلاً

- سنگل کیرج وے جن میں گاؤں کے روڈ بھی شامل ہیں
- تین لین والے روڈ
- ڈیول کیرج وے اور موٹر وے

2۔ مختلف قسم کے شہری روڈ پر اور تیز سپیڈ کے روڈ پر دن کے وقت اور رات کے وقت ڈرائیونگ کرنے کا (جن میں موٹر وے نہ ہوں) علم۔

3۔ کہ گاڑی کو بریک لگانے کیلئے کونسی روڈ کی سطح بہتر ہے یا کمزور ہے۔

4۔ کہ خراب موسم کی وجہ سے کیا خطرے ہوتے ہیں مثال کے طور پر

بارش ، فوگ یا دھند ، برف ، آئیس ، آندھی۔

5 ۔ کہ روڈ اور ٹریفک کنڈیشن کو دیکھ کر خطروں کی پیش گوئی کر سکیں اور باخبر ہوں کہ دوسرے لوگوں پر کنڈیشنز کس طرح اثر کرتی ہیں کہ وہ غیر محفوظ ڈرائیونگ کرنے لگیں اور اُن سے بچاؤ کیلئے مناسب احتیاط کر سکیں۔

ٹریفک سائنز ، قانون وضوابط

آپ کیلئے ضروری ہے

1 ۔ ٹریفک سائنز اور روڈمارکنگز کا خاصا علم

2 ۔ ٹریفک سائنز کے مطلب کا صحیح پتہ مثلاً

-سپیڈ کی حد - گاڑی پارک کرنے پر پابندیاں -زیبرا کراسنگ اور پیلیکن کراسنگ

گاڑی کے کنٹرولز اور روڈ کا طریقہِ کار

آپ کو اتنا علم اور تجربہ ہونا چاہئے کہ مندرجہ ذیل کام حفاظت اور صحیح طریقہ سے عمل میں لاسکیں

1 ۔شیشوں کا صحیح استعمال ، چاروں طرف مشاہدہ اور سگنلز کا صحیح استعمال ۔

2 ۔ گاڑی میں بیٹھنے اور گاڑی سے باہر نکلنے سے پہلے ضروری احتیاط کریں

3۔ انجن سٹارٹ کرنے سے پہلے حفاظت کیلئے چیک کریں۔

گاڑی کے دروازے ، سیٹ اور ہیڈ ریسٹرینٹس ، سیٹ بیلٹس ، شیشے ۔

یہ بھی چیک کرنا ہے کہ ہینڈ بریک آن ہے اور گیئر لیور نیوٹرل میں ہے۔

4 ۔ انجن سٹارٹ کر کے گاڑی چلائیں

- سیدھا آگے ، زاویہ پر ، لیول روڈ ، چڑھائی پر اور ڈھلوان پر

5 ۔ عام ڈرائیونگ کیلئے روڈ پر صحیح روڈ پوزیشن کا انتخاب کریں۔

6 ۔ ہر طرح کی ٹریفک کنڈیشن میں خصوصی مشاہدہ کریں۔

7 ۔ ایسی سپیڈ پر ڈرائیو کریں جو روڈ اور ٹریفک کنڈیشن کے مطابق ہو۔

8 ۔ تمام خطرات پر فوری ردِ عمل کریں۔

9 ۔ ٹریفک لینز تبدیل کرتے۔

10۔ پارک گاڑیوں کے پاس سے گزرتے۔

11۔ اورٹیک کرتے اور دوسری گاڑیوں کے راستہ کو کراس کرتے۔

12۔ جنکشنز پر رائیٹ یا لیفٹ مڑتے جن میں کراس روڈ اور راؤنڈ آباؤٹ بھی شامل ہیں۔

13۔ کراس روڈ اور راؤنڈ آباؤٹ پر سیدھا اگلے روڈ پر جاتے۔

14۔ جب کسی گاڑی کے پیچھے ڈرائیو کریں تو محفوظ فاصلہ رکھیں ۔

15۔ پیدل چلنے والے کراسنگز پر صحیح عمل کریں۔

16 ۔ دوسرے روڈ کو استعمال کرنے والوں کی حفاظت کا خیال رکھیں خاص کر بچے ، بوڑھے اور معذور۔

17 ۔ شہری اور دیہاتی روڈ پر ڈرائیو کرتے جہاں ممکن ہو ڈیول کیر یج وے پر ٹریفک کی رفتار کے مطابق جہاں یہ کرنا محفوظ اور مناسب ہو۔

18 ۔ پولیس آفیسر، ٹریفک وارڈن اور دوسرے روڈ کو استعمال کرنے والوں کے سگنل کو سمجھیں اور اُن پر عمل کریں۔

19 ۔ گاڑی کو حفاظت سے پورے کنٹرول اور بغیر پہیئے لاک کئے ایمر جنسی میں روکتے۔

20 ۔ گاڑی کو روڈ میں واپس موڑ کرلے جاتے (تھری یا فائیو پوئنٹ ٹرن)۔

21 ۔ گاڑی کو ریورس کر کے سائیڈ روڈ میں لے جاتے اور مناسب فاصلے پر کرب کے ساتھ رکھیں۔

22 ۔ گاڑی کو ریورس کر کے گاڑی کے پیچھے کرب کے متوازی پارک کرتے۔

23 ۔ کار پارک بلڈنگ میں گاڑی کو گاڑیوں کے درمیان دی گئی جگہ لیول پر ، ڈھلوان پر یا چڑھائی پر پارک کریں آگے اور ریورس اطراف میں۔

24 ۔ ہر قسم کے ریلوے لیول کراسنگ سے گاڑی گزارتے۔

مزید علم

آپ کو جاننا ضروری ہے.

1 ۔ ٹائر کے صحیح پریشر کی اہمیت۔

2 ۔ سکیڈ سے بچاؤ کی لازمی تدابیر۔

3 ۔ زیادہ پانی میں سے گاڑی گزارنا۔

4 ۔ اگر آپ کی گاڑی کا ایکسیڈینٹ ہو جاتا ہے یا گاڑی خراب ہو جاتی ہے تو کیا کرنا ہوگا۔ اور خاص کر موٹروے پر ایکسیڈینٹ یا خراب ہو جائے تو اس کیلئے کیا بندوبست کیا جائے۔

5 ۔ ہائی وے کوڈ کے مطابق فرسٹ ایڈ کا استعمال روڈ پر کیسے کرنا ہے۔

6 ۔ گاڑی کو چوروں سے بچاؤ کے طریقے اختیار کرنا۔

موٹروے پر ڈرائیونگ

آپ کو ڈرائیونگ ٹیسٹ پاس کرنے سے پہلے موٹروے پر ڈرائیونگ کے طریقے اور قواعد وضوابط کا خاطرخواہ علم ہونا ضروری ہے۔

جب آپ ڈرائیونگ ٹیسٹ پاس کرلیں تو موٹروے پر ڈرائیونگ کے بارے میں اپنے ڈرائیونگ انسٹرکٹر سے مشورہ کریں اور اُس سے موٹروے کی ٹرینگ لیں اور پھر موٹروے پر ڈرائیونگ کرنا شروع کریں۔

ڈی ایس اے سے کسی قسم کی شکایت پر طالب علم کی رہنمائی

ڈی ایس اے کا مقصد اپنے گاہکوں کو بہتر سے بہتر سہولتیں اور خدمات میسر کرنا ہے ہمیں بتائیں

☆......جب ہم آپ کیلئے کوئی اچھا کام کریں۔

☆......جب آپ کو ہمارے کام سے تسلّی نہیں۔

آپ کے مشوروں یا تبصروں سے ہمیں مدد ملتی ہے اور ہم جو سروس فراہم کر رہے ہیں اُس کو اور بہتر بنا سکتے ہیں۔

آپ کو ڈی ایس اے کے بارے میں کسی قسم کی معلومات چاہئیں تو بغیر کسی جھجک کے مندرجہ ذیل نمبر پر رابطہ قائم کریں۔ فون کریں۔

0870 01 01 372

اگر آپ کو اپنے ڈرائیونگ ٹیسٹ لینے کے طور طریقہ کے بارے میں کسی قسم کا کوئی بھی سوال پوچھنا ہو تو اپنے لوکل سپروائزنگ ایگزامینر سے رابطہ کر سکتے ہیں جس کا پتہ آپ کے لوکل ٹیسٹ سنٹر کے نوٹس بورڈ پر لکھا ہوا ہوگا۔

اگر آپ ہمارے جواب سے مطمئن نہیں ہوئے اور دیگر تفصیل معلوم کرنا چاہتے ہیں تو آپ ڈی ایس اے سے رابطہ قائم کر سکتے ہیں یا لیٹر لکھ سکتے ہیں۔

اگر آپ ڈرائیونگ انسٹرکٹر کے بارے میں کچھ کہنا چاہتے ہیں تو مندرجہ ذیل کو لکھیں.

The Registrar of Approved Driving Instructors

Driving Standards Agency

Stanley House

Talbot Street

Nottingham NG1 5GU

اِس کے علاوہ آپ اپنی شکائیت۔

☆......ممبر پارلیمنٹ سے کر سکتے ہیں جو آپ کا کیس ذاتی طور پر پتہ کر سکتا ہے ڈی ایس اے شیف ایگزیکٹو، وزیر یا پارلیمنٹری کمشنر برائے ایڈ منسٹریشن سے جن کا نام و پتہ اِس کتاب کے پیچھے دیا ہوا ہے۔

☆......مجسٹریٹ عدالت (سکاٹ لینڈ میں یا آپ کے علاقہ کے شیرف) اگر آپ کا خیال ہو کہ آپ کا ٹیسٹ قانون کے مطابق نہیں لیا گیا۔

اِس سے پہلے کہ آپ کُچھ کریں آپ کو لیگل ایڈوائیز لینی چاہئیے

ڈی ایس اے معاوضہ کے کوڈ برائے ٹیسٹ امیدوار

ڈی ایس اے کا ہمیشہ یہ مقصد ہوتا ہے کہ ٹیسٹ کی تاریخ مقرر رہے بعض اوقات کسی مجبوری کی وجہ سے ہمیں آپ کا ٹیسٹ کینسل کرنا پڑ جاتا ہے ۔تو ہم آپ کی ٹیسٹ فیس واپس کر دیتے ہیں یا آپ کا اگلا ٹیسٹ مفت کر دیتے ہیں۔ مندرجہ ذیل حالات میں آپ کا نقصان پورا کیا جاتا ہے۔

☆......اگر ہم آپ کا ٹیسٹ کینسل کرتے ہیں۔

☆......اگر آپ خود اس کو کینسل کریں لیکن چھٹیوں کے علاوہ دس دن سے پہلے نوٹس بھیج دیں۔

☆......اگر آپ ٹیسٹ کی تاریخ مقررہ رکھیں لیکن ٹیسٹ کے دوران گاڑی خراب ہو جائے یا ٹیسٹ مکمل نہ کیا جائے۔ جس میں آپ کی کوئی غلطی نہیں ہے۔

ہم آپ کی ٹیسٹ فیس یا جو رقم آپ کی ضائع ہوئی ٹیسٹ کینسل کرنے کی وجہ سے ادا کریں گے کیونکہ ہم نے آپ کو بہت تھوڑے وقت میں نوٹس دیا ۔

☆......جو گاڑی آپ نے ٹیسٹ کیلئے کرائے پر لی اور جو وقت ٹیسٹ سینٹر تک آنے جانے میں لگایا.

☆......ٹیسٹ کی خاطر آپ کی تنخواہ یا آمدنی کی رقم جو ٹیکس نکال کر ضائع ہوئی ہے۔

یہ یاد رکھیں کہ ہم وہ رقم نہیں ادا کریں گے جو آپ نے ٹیسٹ کیلئے ڈرائیونگ لیسن بک کروائے یا فالتو لیسن لئے ۔

درخواست کیسے دینی چاہیے

ڈی ایس اے کو لیٹر لکھیں کہ آپ کو کتنا نقصان ہوا ہے۔ گاڑی جو کرائے پر لی اس کی رسید اپنی آمدنی کا ثبوت وغیرہ جہاں نوکری کرتے ہیں اُس کا سرٹیفکیٹ کہ آپ کو ٹیسٹ پر جانے کی وجہ سے کتنی رقم نہ ملی اگر ممکن ہو تو کلیم فارم (جو ہر ایک ڈرائیونگ ٹیسٹ سنٹر یا بکنگ آفس سے ملتے ہیں) بھر کر ساتھ بھیج دیں

اس کلیم سے آپ کے جائز حقوق پر اثر نہیں پڑے گا۔

DSA OFFICES AND OTHER USEFUL ADDRESSES

DSA Test Enquiries and Booking Centre
DSA
PO Box 280
Newcastle-upon-Tyne NE99 1FP
Tel: 0870 01 01 372
Fax: 0870 01 02 372

DSA Head Office
Stanley House
56 Talbot Street
Nottingham NG1 5GU
Tel: 0115 901 2500
Fax: 0115 901 2940

Other useful addresses

Approved Driving Instructors' National Joint Council
The Secretary
41 Edinburgh Road
Cambridge CB4 1QR
Tel. & Fax: 01223 359079

DTLR Mobility Advice and Vehicle infomation Service (MAVIS)
'O' Wing MacAdam Avenue
Old Wokingham Road
Crowthorne
Berkshire RG45 6XD
Tel: 01344 661000
Fax: 01344 661066

Driver and Vehicle Licensing Agency (DVLA)
Customer Enquiry Unit
Swansea SA6 7JL
Tel: 0870 240 0009

Driving Instructors Association
The Secretary
Safety House
Beddington Farm Road
Croydon CR0 4XZ
Tel: 0181 665 5151
Fax: 0181 665 5565

Motor Schools Association of Great Britain Ltd
The General Manager
101 Wellington Road North
Stockport
Cheshire SK4 2LP
Tel: 0161 429 9669
Fax: 0161 429 9779

Office of the Parliamentary Commissoner for Administration (The Parliamentary Ombudsman)
Millbank Tower
Millbank
London SW1P 4QP
Tel: 020 7217 4163
Fax: 020 7217 4160

74

NEW EDITIC

DRIVING TEST GUIDE

IN URDU

FIRST PUBLISHED IN GREAT BRITAIN IN 2004

SOLE PUBLISHER & DISTRIBUTOR

MRS BANO BASHIR

B.B.PUBLISHING

40 Glenrose Drive Lidget Green

Bradford. BD7 2QQ. England(UK)

Tel / Fax (01274) 574185

E-mail: mrsbashir@deluxe.fsnet.co.uk